버티면 레벨업!

버티면 레벨업!

발 행 | 2024년 7월 1일
저 자 | 은하
기 획 | 인천광역시교육청중앙도서관
펴낸이 | 한건희
펴낸곳 | 주식회사 부크크
출판사등록 | 2014.07.15.(제2014-16호)
주 소 | 서울특별시 금천구 가산디지털1로 119 SK트윈타워 A동 305호
전 화 | 1670-8316
이메일 | info@bookk.co.kr

ISBN | 979-11-410-9059-3
본 책은 인천광역시교육청중앙도서관의 2024년 읽걷쓰 사업의
일환으로 제작된 도서입니다.
www.bookk.co.kr

버티면 레벨업!

은하 지음

"독자 대상

육아하며 진로를 고민하는 30~40대 워킹맘
적성이 아닌 것 같으나, 안정된 직장을 버릴 수 없어
자리만 지키고 있는 직장인
다시 일하기를 꿈꾸는 경력 단절의 전업맘
재능보다 좋아서 글을 쓰는 모든 사람들

"Contents

제1장 첫 번째 커리어, 그리고 세 번의 육아휴직

제2장 두 번째 커리어, 어쩌다 자영업자

제3장 세 번째 커리어, 학교도서관 사서

제4장 네 번째 커리어, 나의 본업 주부, 엄마, 아내

제5장 다섯 번째, 나를 위로해 준 책

에필로그

프롤로그

:그 길엔 언제나 글쓰기가 있었다.

나의 10대, 20대는 어려운 형편의 가정환경으로 대부분 우울했다. 살아가면서 나에게는 선택지가 별로 없었다. 유학을 가고 어학연수를 가고 여행을 가고 대학원을 척척 가는 친구들의 이야기는 그저 남의 이야기일 뿐이었다. 그 친구들 뒤꽁무니 쫓아가느냐고 편입을 하고 취업을 했지만 여전히 경제적으로 허덕였다. 내가 결혼이나 할 수 있을까, 하는 암담한 생각이 뒤엎고 있었고, 반복되는 연애의 실패로 상담을 받기도 했다.

그보다 더 어린 시절부터 지금에 이르기까지 마음 복닥거리고, 속상하고, 화가 날 때면 일기장을 집어 들고, 싸이월드를, 페이스북을, 블로그를, 브런치를 옮겨가며 글을 써댔다. 누가 시키지도 않았고, 누가 알아주지도 않았고, 빼어난 글솜씨를 자랑하는 것도 아니었는데, 내 인생에 꾸준히 한 일이라곤 글쓰기뿐이었다. 그 언젠가는 책도 내보리라는 부푼 꿈도 꾸며.

사랑하는 지금의 남편을 만나고 삼십 대로 진입해서야 내 인생은 안정기를 맞은 줄 알았다. 마음속으로 원망하고 미워했던 가족도 이해가 되었고, 그렇게 애쓰며 살아온 나도 다독여 줄 수 있었으니까. 하지만 가정이라는 공동체를 이루며 나아가는 항해의 리더로서 우리 부부는 심심치 않게 투닥거렸고, 더할 나위 없이 예쁜 내 아이들에게 자꾸만 버럭 하는 성미 덕분에, 밤이면 나 자신을 곱씹으며 글을 쓸 수밖에 없었다.

이 책은 나의 울분과 고통과 분노와 희망과 꿈을 적어 내려갔던 곳곳에 흩어진 기록의 파편을 모아 엮은 것이다. 글쓰기는 좋아하지만, 좋아하는 작가의 글을 매일 필사한다든지, 좋은 표현은 메모해서 기억해 둔다든지, 적합한 표현을 찾기 위해 사전 전체를 훑는 다든지 하는 열심은 또 없어서, 글솜씨는 늘 제자리라는 게 아쉽다. 마음은 열심인데 행동이 뒤따르지 못하는 평범하고 게으른 아줌마의 일상이 고스란히 드러나는 글들이라, 부끄럽기 그지없다.

그래도 이 책으로 한 발짝 더 나아갈 수 있다는 것과, 내 글을 보며 솜씨 부족한 누군가도 용기를 낼 수 있지 않을까, 하는 작은 소망으로 기록들을 내보인다.

제1장 첫 번째 커리어, 그리고
세 번의 육아휴직

나의 첫 부서, '북소믈리에'

　정확하게는 '북소믈리에'라는 번지르르한 명칭에 현혹
되어 입사했는지도 모른다. '문헌정보과'의 졸업을 앞
두고, 취업 준비에 한창인 친구들은 대부분 공무원에
도전했다. 그도 그럴 것이 취업의 문은 너무나도 좁았
다. 대기업 자료실이나, 대학교 도서관은 엄청난 스펙
을 요구했고 장벽이 너무 높았다. 노력 대비 가성비가
훌륭했던 건, 공무원이 맞았다. 공무원에도 '문정인'(문
헌정보학과 졸업생을 일컫는 말)이라면 한 번쯤 꿈꿔봤
을 '국립중앙도서관'이나 '국회자료실'의 국가직 공무
원이 있는 반면, 각 지역마다 있는 '지방직' 공무원도
있었다. 그중 나는 어느 것도 도전하지 않았다. 뻔한
길을 가고 싶지 않았던, 어릴 적의 오기 같은 거랄까.
(실제로 어리지도 않았다. 그냥 철이 없었다.)

　책을 좋아해서 '문헌정보학과'를 선택했다면 학과에
실망한 사례는 부지기수였다. 실상 컴퓨터공학과가 아
니냐며 수업을 거부하는 이도 있었다. 책을 읽고 쓰는
곳은 '문예창작과'이지 '문헌정보'는 아니었음을, 공부
하면서 알았다. 도서관을 운영하고, 정보를 관리하는
학문이기에, 데이터를 어떻게 가공하고 수집하고 보관

하는지가 중요한 과제였다. 나 역시 그런 '관리'의 직무는 성향상 맞지 않는다고 판단하고, 서점의 공고를 뒤적거렸다. 그중 CP(Contents Provider)의 모집공고를 운명처럼 만났고, 취향에 맞는 와인을 골라주는 '와인 소믈리에'를 본 딴 '북소믈리에' 라는 직함에, 주저 없이 지원했다.

　서류에 합격하면 1차로 글쓰기 테스트가 있었는데, 홈페이지 맨 첫 칸을 장식하는 '책 소개' 부분을 무작위로 나눠주는 책 2권을 골라 시간 안에 작성해야 했고, 연습한 대로 열심히 적어냈다. 2차는 면접이었다. 바르르 떨면서 면접관의 질문에 얼토당토않은 대답을 했던 것으로 기억한다. 나름 뛰어난 스펙과 장기를 지닌 지원자들 사이에서 당연히 떨어진 줄 알았던 나는, 풀이 죽어 다음 취업 준비를 위해 학원 수업을 받고 있었고, 느닷없는 합격 전화에 감격하며, 회사에 첫 발을 들였다.

<u>동아리처럼 재미있던, 입사 후 2년.</u>

　나도 떨어질 것 같았지만, 같이 면접 본 4명 중 떨어질 것 같은 2명이 더 있었다. 나머지 한 명이 워낙 적

극적이고 말도 잘해서, 우리 조에서 합격한다면 그 사람일 것 같았다. 아이러니하게도 그 사람 빼고, 나머지 셋이 다 합격했다. 입사 후 마주 보며 어떻게 너희들이 됐냐는 멋쩍은 표정들이 생각난다. 이유인즉슨, 이 일 자체가 너무 활발하고 적극적인 사람에게는 적합하지 않다는 거였다. (일을 하고 보니 이해가 많이 됐다.)

여느 회사 동기들이 그렇듯, 책을 좋아하는 3인방은 금방 친해졌다. 또 여느 회사 생활이 그렇듯 꿈꿔왔던 일 하고는 많은 차이가 있다는 걸 머지않아 깨달았다. 특히 급여가 그랬다. 연봉에 대해 개념이 없던 나는, 면접 당시 인사팀에서 말해주는 연봉이 어느 정도인지 알지 못했고, 입사 후 100만 원이 조금 넘는 급여를 보며, 이것이 실화냐고 동기들끼리 실망했더랬다. 그래도 일이 너무 매력적이어서, 갓 나온 모든 책들이 내 손을 거쳐 가는 것이 마냥 신기해서, 동기들과 책수다를 펼치는 게 너무 즐거워서, 2년간은 급여와 상관없이 행복했다.

당시 우리는 매일매일 쏟아지는 책들 중에 절반 이상이 매장의 서고로 묻혀버리는 게 아쉬워서, 전문 서평가가 되어야겠다는 원대한 포부도 가졌다. 같이 서평

수업도 들으러 다니고, 같은 책을 읽으며 필사도 하고, 블로그를 만들어 다양한 기획으로 맘에 꼭 드는 신간을 소개하기에 열을 올렸다. 그러나 짧은 기획으로 꾸준한 콘텐츠를 쌓지 못한 채 이리저리 배회하다, 우리의 글 역시 그 많던 신간들처럼 묻혀 버렸다. (어딘가에 살아 있기는 할 거다. 아무도 찾지 않을 뿐.)

<u>입사 3년 차, 아직 열정은 많습니다만,</u>

 블로그가 한창 인기인 시절, '책 소개'에 중점을 두고자 북소믈리에를 뽑았고, 그 직무를 하기 위해 입사했지만, 사실 기본 업무는 '기본 서지의 등록'이었다. 아침에 출근하면 메일 한가득 출판사의 서지 등록 요청이 있었고, 다른 분야 담당이 대신 처리하기도 어려워 휴가를 다녀오기가 겁났다. 이메일 등록을 처리하고 나면, 책상 위에 내 키보다 높이 쌓인 책들의 '책 소개'를 작성해야 했다.

 대부분은 보기 좋게 문단 구성만 맞추어 올리고, MD의 주력 도서나 내가 픽한 책들은 조금 공을 들이는 편이었다. 좀 더 잘 팔리기 위해 MD들이 특정 문구를 요청하기도 했는데, 나름 마케팅보다는 공정하고 객관적인 정보만 올린다는 원칙이 있어 MD들과 약간의 줄다리기가 있기도 했다.

공식적인 글을 쓰는 일이 많아지면서 잘 쓰고 싶은 욕심도 생겼다. '서평'을 잘 써보기 위해 학원에도 다녔고, 언젠가 필요할 것 같아 '독서지도사' 자격증 준비도 했다. 다른 동기는 자격증을 땄지만, 규격과 형식에 치중하는 시험이 맞지 않아, 나는 수료만 했다. (이후에 필요에 의해 자격증을 따게 되긴 했다.) 동기들과는 필사도 하고 책 토론도 하면서 이것이 일인지 취미인지 모르게 열정을 불태웠다. 퇴근 후에도 찜해놓은 책이 있으면 한아름 가져와 집 앞 카페에서 시간을 들여 책을 읽고, 맘에 둔 문장들을 페이스북 같은 곳에 공유하면서 일을 즐겼고, 자부심을 느꼈다.

회사의 공식 채널뿐 아니라, 블로그로, 때마다 유행하는 SNS로, 작은 일간지의 추천 채널로, 나름의 '책 추천'을 꾸준히 했다. 글은 꾸준히 썼지만 그렇다고 실력이 출중해지는 건 아니었다는 게 문제라면 문제였다.

쓰면 쓸수록 내 글의 빈약함, 경험과 식견의 부족이 더 잘 보일 뿐이었다. 우리가 했던 모든 기획과 연재들은 폭발적 반응도, 길게 가지도 못했다.

그러면서 '책 소개'의 중요도도 의문이 들었다. 사실상 책 소개는 '출판사 서평'의 요약본에 불과했다. 요약본에는 주관적 의견은 달 수 없었다. 공공의 장이기 때문에 개인적 의견은 삼갈 수밖에 없었던 것인데, 그래서 매력이 떨어졌다. 실제로 책을 구매하는 사람이 과연 '책 소개'를 보고 살까? 어차피 출판사 서평의 요약본이라면 무엇 하러 책 소개를 힘들여 재가공할까? 잠재적 구매자들은 실제로 책을 읽은 사람의 진짜 리뷰가 필요할 텐데 말이다.

마케팅 팀에 합류될 때에 팀장님은 '스타 CP'를 만들어 보자고도 했다. 아쉽게도 글만 쓸 수 있는 자리는 아니었기 때문에, 주관적인 글쓰기를 펼칠 수 있는 장은 아니었기 때문에, 업무 외 개인적인 시간을 들여 책을 읽고 쓰자고, 이 적은 월급에 누구도, 나조차도 강요할 수 없었기 때문에, 팀장님의 바람은 이루어지지 않았다. 시간이 지남에 따라 책 소개에 공들이기보다는, 빠른 시간 안에 출판사 서평을 잘 짜깁기하는 것이 업무의 최선이었다. 그럼에도 '북소믈리에'라고 불리는 직함은, 나의 무지와, 부족한 내공으로 인해 간극이 깊어만 갔다.

3년 차가 되던 해, 동기 한 명이 퇴사 선언을 했다. 글도 잘 쓰고 일도 잘하는 똑 부러진 친구였다. 역시나 그녀답게 이직을 준비하고 있었고, 당당하게 성공하여 퇴사 의사를 밝혔다. 잘된 일이었지만 아쉽고 서운했다. 같이 책을 읽고, 쓰고, 공유했던 동기이기에 끝까지 이 길을 갈 것만 같았다. '급여'가 중요한가, '일'의 적성이 중요한가. 일은 일일 뿐이었나? 일을 할 바에는 돈을 많이 주는 게 나은 것인가? 다른 곳으로 이직할 욕심도 능력도 없었지만, 나는 언제까지 이 일을 할 수 있을까 하는 의심이 싹트기 시작했다.

리더십은 없습니다만,

육아휴직에 들어가기 전까지는 동기와 내가 최고참이었다. 이제부터의 연차에서는 '책을 소개하는 일' 따위가 그리 중요하지 않았다. 일의 중요도에 맞게, 회사에서 그해에 치중하고자 하는 사업에 맞게, 업무를 개편하고 조정해야 했다.

동기와 연차가 똑같다 보니 승진에서는 경쟁을 하지 않을 수 없었다. 승진해 봐야 10만 원 차이나 나려나, 그다지 달라질 것도 없는데, 둘 중의 한 명이 먼저 승진해야 하다 보니 알게 모르게 서로 예민해지며 신경전을 벌였다.

한 살 어린 동기는 나보다 조직적인 일을 하는 데에도 탁월하고, 후배들도 동기를 더 믿고 따랐고, 인간적인 매력도 훌륭했다. 그렇다고 경쟁에서 질 수도 없었다. 경쟁심을 숨기려고 안간힘을 썼지만, 타 부서의 과장님이 그녀를 자기 소속으로 데려가 일을 가르칠 때면 질투심이 폭발했다. 개편해야 할 업무에 대해 서로의 의견을 나눌 때에도 그녀가 말할 때면 나는 어깃장을 놓았다. 사실 나에게 리더의 기질은 딱히 없었다. 무엇보다 결정력이 없었다. 고등학교 때, 합창단을 했던 때가 생각난다.

노래하기를 좋아해서 고등학교 동아리를 합창단에 들어갔다. 나를 따라 친한 친구 두 명도 같이 들어왔다. 피아노도 조금 쳤기에 악보도 잘 봤고, 음정도 정확해, 금방 선배들의 눈에 들었다. 2학년으로 올라가면 파트의 장을 뽑아야 했는데, 나는 유력한 후보였고, 결국 파트장으로 선정되었다.

그런데 그때 친한 친구 두 명이 2학년 때는 공부를 해야겠다며 탈퇴를 선언했다. 딱히 공부를 잘하는 것도 아니었는데도, 친구들 말에 휩쓸려 파트장을 포기하고 함께 탈퇴했다. 후로, 예뻐해 줬던 선배들은 교내에서 마주쳐도 쳐다보지도 않았고, 담당 선생님도 많이 실망하셨다. 지금도 두고두고 후회되는 일이, 그때 리더를 잘해보았다면, 지금은 어떤 삶이었을까. 자책감과 후회만 남겼던 그날의 포기와 탈퇴가 아직도 아쉬움으로 남아있다.

열등감 다루기

연차와 나이 덕분인지 몰라도, 나는 리더가 되었다. 고등학교 합창단에서는 명백한 실력이 있었는데, 회사에선 특출하다 할 만한 것이 없었다.

8명의 파트에서 최고참은 두 명이었고, 팀의 리더는 한 명이면 족했다. 선배들이 나가고 우리는 갖가지 상황과 조정 끝에, 내가 대표로 업무보고를 하고, 동기는 지원 역할을 담당하기로 했다.

그런데 자꾸 삐걱거렸다. 집에서 첫째이기도 하고, 반장을 도맡아 하던 동기는 뭘 해야겠다 생각하면,

상의 없이 혼자 후배들을 불러내고, 의견을 던지고, 일을 지시했다. 나는 여러 감정에 휩싸였다. 나하고 먼저 상의하고 말을 해야 하는 것이 아닌가? 나를 리더로 생각은 하나? 맞는 말을 하긴 하는데, 후배 들과 함께 이야기를 듣고 있자니 이상하게 몸이 뒤 틀리고 얼굴 근육이 경직됐다. 이게 뭐지, 열등감인 가. 왜 나는 그녀보다 상황을 재빠르게 파악하지 못 했을까.

그래, 열등감. 네이버 지식사전을 뒤졌다.

열등감에 빠진 사람은 자기 자신을 무능하고 무가치한 존재로 여기며 무의식 속에서 자기를 부정하기도 한다. 합리적이거나 이성적이지 못하고 불안심리를 동반한 이상행동을 보이며, 항상 경쟁에서 자기는 실패할 거라 는 생각에 사로잡혀 있기도 한다.

여러 가지 점에서 타인과 비교했을 때 자기가 못하다 고 느끼는 기분으로 우월감의 반대 감정이다. 신체적인 결함이나 환경 등에 의해 생기는 것이며 보통은 이 열 등감을 보상하려는 여러 가지 심리적 경향을 수반하게 된다. 때로는 이것이 오히려 보통 이상의 일을 해낼 수

도 있으나 신경증이 되는 경우도 있으며 청년기에 많이 나타난다.

외적 조건에 대한 인간 소질의 반응 지향성(指向性)의 하나이며, 특히 인간관계에서 열등감으로 괴로워하고 자신이 없는 성질을 말한다. 안전관리를 수행하는데 개인 교육에 의해서 시정이 필요한 성격이다.

[출처: 네이버 지식 사전]

나의 부족한 면을 너무 잘 알았다. 동기는 내가 가지지 못한 리더십을 가졌다. 내가 자신이 없는데, 보는 후배들이라고 몰랐겠는가! 아, 쪽팔리다! 쿨하게 따라주고 인정하고 싶은데, 이건 합리적이지도 이성적이지도 않은 행동으로 일관이다. 얼굴 표정은 점점 경직되고, 부자연스러운 반응에 누구라도 '저 언니 기분 언짢구나' 알 수 있을 게다. 이런저런 생각을 하며 일하고 있는 찰나, 네이트온의 메신저가 끔뻑 끔뻑거린다. 동기다.

"언니, 지금 기분 안 좋지!"
"응"
ㅜ"왜?"
"나는 네가 그렇게 혼자 결정하고 행동하면 어떻게 반응해야 할지 모르겠어."

"나는 내가 뭘 그렇게 혼자 결정했는지 모르겠어."

"예를 들면, 내가 회의에 다녀와서 나 혼자 알고 있는 걸 후배들이 다 알고 있는 투로 말한다고 네가 조언했던 것처럼, 나도 그런 거 하고 같아. 적어도 후배들한테 얘기하기 전에 나하고 먼저 상의했으면 좋겠어."

"아, 그건 인정. 빨리해야겠다는 생각에 자꾸 혼자 나가네."

그 당시 동기와 나는 회사 합숙소에서 함께 생활했는데, 날이 선 대화들로 고단했던 다음 날 아침, 동기는 시원~하게 끓인 오징어 뭇국을 내놓으며 말했다.

"언니를 위해 준비했어! 어제 생각해 보니까 잘못한 게 많더라고. 네이트온 대화를 처음부터 자세히 살펴봤어. 언니의 반응도. 언니는 처음부터 참고 있었더라고. 나중에야 티 낸 거지만. 맞지?"

나는 아무 말도 할 수가 없었다.
애틋한 동기였기에, 동생이기도 한 동기의 따뜻한 말 한마디에 열등감에 빠져있지 않고 다음을 도모할 수 있었다.

회사 생활을 하면서, 경쟁해 보지 않은 이가 어디 있겠는가! 열등감을 가져보지 않은 이가 어디 있겠는가!

참 다행인 것은, 그런 숱한 고민들이 언제고 내 곁을 지키고 있지는 않다는 것. 시간에 기대면 흘러 흘러 아득한 기억 속으로 사라진다는 것. 아무것도 하지 않은 것 같아도, 지나친 상황과 환경들이 나를 가르치고 있었다는 것. 시간에 기대어 봐도 되는 이유다. 당시에는 나를 잡아 삼킬 것 같았던 큰 문제들이 시간이 지나면 대체 왜 그렇게 그까짓 일로 힘들어했을까 하며 작아져있는 문제들을 살아가면서 심심치 않게 볼 수 있으니 말이다.

기대하지 않았던 직원이 의외로 오래 버티고, 잘 나가던 유망주는 더 좋은 곳을 찾아가고, 우리네처럼 아이를 낳아 육아에 전념하고자 퇴사하기도 한다. 열등감처럼 날 선 감정도 세월에 무뎌지기도 하고, 의식하지 못한 사이 약했던 감정들이 단단해지기도 한다. 좋지 않은 시선으로 봤던 직원이 의외로 진국임을 발견하기도 하고, 세상 좋은 사람인 줄 알았지만, 나에게는 의미 없는 사람임을 깨달을 때도 있다.

견디고 버텨온 시간의 힘은 생각보다 강하다. 길고 짧은 건 대봐야 알고, 인생은 어떻게 될지 아무도 모른다는 게, 삶의 신비고, 살아 볼만한 이유 아니겠는가!

첫 아이가 찾아왔습니다.

서른의 초반, 마흔이 된 지금에 와서 생각하면 젊디젊은 나이지만, 그때에는 늦디늦은 나이라 초조해하며 일주일에 두 건씩 소개팅을 전전했다. 소개팅도 더 이상은 지겹고 의미 없어지던 찰나, 지인의 강력한 권유로, 만난 지 3개월 만에 지금의 남편과 결혼했고, 다행히 10년째 별 탈 없이 잘 살고 있다. 어떻게 그렇게 빨리 결혼할 수 있냐, 첫눈에 반했냐 등 많은 질문을 받았었는데, 글쎄, 타이밍이 운명이었다. 나는 더 이상의 연애는 원치 않았고, 남편 역시 결혼을 향해 돌진 중이었다. 같이 있던 시간과 대화가 좋아, 그저 흐름에 맡겼더니 부부가 되어 있었다.

결혼 후 1년 만에 아이가 찾아왔고, 8개월여 더 일하다 휴직했다. 휴직자가 생기면 회사에서 가장 중요해지는 게 TO, 즉 인력배치다. 1년을 넘게 쉬게 되면 부서에서는 업무 분담을 새로 짜야 한다. 휴직에 들어갈 당시 인력배치의 문제로 출산휴가만 하고 돌아오기를 권유받았었다. 하지만 1년 3개월을 다 쓰고 오겠다고 했고, 부서장도 그에 맞춰 업무 분담을 마쳤다.

드디어 나의 첫 생명이 탄생했다. 기쁘고 오묘한 경험이었다. 이렇게 못생긴 아이가 내 아이라고? 예쁘기만 할 줄 알았는데, 아이를 보기만 해도 모성애가 철철 흐를 줄 알았는데, 그냥 다 끝났구나 하는 해방감이 들어도 괜찮은 걸까. 그런 감정도 잠시 잠깐, 다음 날 새벽부터 인터폰의 콜이 울려댔다. 수유하라는 전화였다. 제대로 앉지도 못하는 엉덩이를 겨우 일으켜 수유실로 향했다. 피곤한 마음과는 달리 수유실의 음악은 평온하기 짝이 없었다. 아이를 다시 만나 수유를 하려는데, 이런, 아이에게 줄 꼭지가 너무 짧고, 모유도 전혀 나오지 않아, 아이는 잠만 잤다. 데면데면 아이와 껴안고 앉아 있다가 오늘은 그만하시고 가보라는 말에 방으로 올라갔고, 퇴원할 때까지 상황은 같았다.

출산하기 전, 조리원은 천국이라고 들었다. 널찍한 방에 쾌적한 침대와 소파, 싱크대, 화장실, TV, 젖병소독기까지 아이와 엄마를 위한 모든 게 다 갖춰져 있었다.

천국에 입성한 줄 알았지만 잠시 스쳐간 꿈이었다. 요가, 모빌 만들기 따위의 빡빡한 스케줄과 2시간에 한 번씩 부르는 수유 콜로 나는 기진맥진해졌다. 더구나 아이를 수유하는 일이 이렇게 고단하기만 한 일인지는 상상도 못 했다. 모유량도 터무니없이 적었고, 아이는 먹고 싶은 우유가 나오지 않으니 짜증내며 쩌렁 쩌렁 울어댔다. 모유 수유가 끝나면 또 젖을 유축해야 했다. 젖양이 많아지게 하기 위한 방법이란다. 또 젖이 많은 사람은 짜내지 않으면 젖몸살을 앓으니, 이래저래 쉴 틈이 없었다. 이쯤 되니 수유 지옥이었다. 한 발짝도 나갈 수 없는 조리원 안이, 햇빛 하나 들지 않는 조리원이, 점점 답답해졌다.

 얼마 지나지 않아 드디어 조리원 탈출의 시간이 왔다! 이후의 산후조리는 시어머님 댁에서 하기로 했다. 어머님과 남편, 그리고 나는 서로 번갈아 아이를 맡으며 행복하게 잘 살고 싶었다. 하지만 수유 전쟁은 계속되었고, 울어재끼는 아이를 감당할 수 없어 한 달여 만에 모유 수유는 포기했다. 모유를 끊으면 남아있는 젖량 때문에 가슴이 아파온다는데, 내 가슴은 아무렇지도 않았다. 첫 모유 수유 경험기는 흑역사만 남기고, 분유 수유로 깔끔히 갈아탔다. 가족 모두의 평화가 찾아왔다.

어머님의 도움도 끝나 진짜 우리의 신혼집으로 돌아왔고, 남편의 출근 후에는 집에 아이와 나만 남았다. 말 못 하는 아이는 울고, 울고, 또 울기만 했고, 나는 어쩔 줄 몰라 하며 24시간 대기조로 고군분투했다. 며칠째 씻지도 못하고, 밥도 제대로 먹지 못하는 일상은, 이전의 '나'를 위주로 돌아가던 삶과는 240도 달라져 있었다. 의지할 곳이라곤 남편밖에 없었고, '언제 들어오냐'라는 질문을 매일 주문처럼 카카오톡 메신저에 쏟아냈다.

입덧이나 임신중독증처럼 임신기간이 너무 힘든 사람이 있는 반면, 나처럼 아무거나 잘 먹고 잘 자던 임신 체질은 아이를 낳고 보니 임신일 때가 천국이었다. 다이어트 걱정 없이 아이가 먹고 싶은 거라며 마음껏 먹을 수 있었고, 하루 종일 누워있어도 누가 뭐라 할 사람이 없었다. 천국일 때는 천국인 줄 몰랐고, 아이를 낳고 진정한 육아의 세계에 발을 들이고 보니, 그 시절에 더 잘 쉬고 먹고 놀아둘걸, 아쉬움이 남기도 했다.

처녀 시절을 더 잘 즐길 걸 하는 유부녀의 마음, 신혼 때에 둘이 알콩달콩 할 수 있는 걸 다 해 볼 걸 하는 임산부의 마음, 대학 시절, 학창 시절이 좋앗다는 직장인의 마음이었다. 어째서 지나야만 아는 것일까, '지금'이 앞으로의 날들 중 가장 어리고, 좋은 때라는걸.

힘들어하던 나를 보며 남편은 '복직'을 권유했다. 말도 안 된다고, 3년은 애착 형성이 중요하다던데 1년도 안 돼서 어떻게 나가느냐고 단칼에 거절했다. 그러면서도 고민이 되었다. 어머님도 도와주신다고 하고, 모유 수유를 하는 것도 아닌데 출근해도 되지 않을까. 그런데 다시 드는 생각은, 내가 무슨 전문 직종도 아니고, 고소득도 아니고, 일에 큰 의지가 있는 것도 아닌데, 회사로 바득바득 출근하는 게 맞는 걸까? 출근하면서 버는 돈과, 출근으로 인해 지출되는 육아로 인한 고용비, 식비, 차비, 의류비, 미용비 등을 비교해 볼 때 수지도 안 맞는 일인데 말이다. 한마디로 나가는 게 손해였다. 휴직도 창창하게 남아 있었고, 아이의 정서적인 면을 생각해서라도 육아에 전념해야 하는 게 맞았다. 하지만 나는 출근하기로 했다. 이유는 단 하나, 나의 정신 건강이었다.

내 멋대로의 복직

1년 3개월을 예정하고 들어갔던 나는 산후 휴가 3개월, 육아휴직 2개월을 쓰고 복직을 신청했다. 당시에 나는 그게 뭐가 문제인지 잘 몰랐다. 모자란 인력이 빨리 들어간다면 좋은 일 아닌가, 싶었다. 하지만 누구도 명확하게 얘기해 주는 이도 없었고, 물어볼 이도 없었다. 물어본다 한들 솔직하게 말해줄 이도 없다는 게 낭패였다. 사실 물어볼 생각도 못 했다. 내가 있던 부서에서는 내가 가장 선배였고, 첫 육아휴직자였고, 첫 복직자였다.

회사에는 일반직과 전문직과 계약직이 있다. 일반직은 말 그대로 일반적인 직원으로 사원-대리-차장-부장 등의 순을 밟아 올라간다. 전문직은 상담직, CP 직(Contents provider), 물류직이 있고, 나머지는 계약직이다. 그중 나는 전문직인 CP직에 속하는데, 일반직과는 승진체계도 다르고, 승진을 해도 급여는 소소하게 오를 뿐이었다.

연차는 더해지고 선배들도 출산으로 떠나고, 동료도 떠나고, 남은 동기와 내가 최고참이 되었다. '이 정도 연차에 최고참?'이라고 할 테지만, 애초에 직군 자체가 오래 일할 사람을 뽑는 자리는 아니었다. '전문적인 일'을 해서 전문직이기보다는 '전문대 이상 졸업자'라는 타이틀이 맞았고, 급여 테이블의 호봉 자체가 낮았다. 우리 일을 하던 선배들도 결혼을 하고 대부분 퇴사했고, 바로 위의 선배들도 출산과 동시에 퇴사했다. 파트장이나 팀장조차도 3년 정도 일하고 다른 일을 찾아보는 게 좋다고 말할 정도였다. '전문직군'의 다른 부서는 오래 일하는 사람들도 많았지만, 우리 부서는 12년째 다니고 있는 내가 유일하다.

복직을 하기로 결심했을 때, 회사 제도나 분위기에 무지한 나는 인사팀에 통보만 하면 되는 줄 알았다. 인사팀에서는 팀장님과 협의 후에 말해주면 된다고 했다. 그러고는 팀장님께 전화를 드렸더니. 당황한 듯 황당한 듯 물으셨다.

"복직한다고? 네 자리가 있다니?"

일침을 놓으시고는 긴 말은 안 하셨던 걸로 기억한다. 팀원이 들어온다는데 뭐 어쩌겠는가. 부서 사람들에게 '개념 없는 직원'으로 낙인찍혔는지도 몰랐다. 복직 후 팀에 돌아왔을 때 팀장님은 긴 휴가 중이었고, 나는 아무 일도 받지 못한 채 팀장님의 복귀만을 기다려야 했다.

아무 일 없이 책상을 지키고 있는 일이란, 초조하고 민망하고, 집에 두고 온 젖먹이 아이만 생각나게 했다. 그리고 할머니가 보내주는 아이의 동영상을 보며 눈물을 삼켰다.

아이를 출산한 엄마 동료들을 보면 왠지 동질감이 생겨 먼저 말을 걸었던 때가 있었다. 둘째를 임신한 대리님을 출근길에 만나 인사를 건네었는데, 아뿔싸, 그 말이 가슴을 후벼 판다.

"다시 봐서 반갑긴 한데, 너무 일찍 나온 거 아니야? 아직 너무 애기잖아~"

모유 수유를 한 달밖에 못 했다는 나에게 이런 말도 했다.
"좀 더 해 보지 그랬어.~"

나의 상황을 알지도 못하는데 너무 쉽게 말하는 게 아닌가, 괜히 말은 걸어서 이런 봉변을 당하나, 얼굴이 후끈후끈했다. 복직하고 난 일상은 상처투성이였다.
'젖먹이를 떼놓고, 너 나오고 싶을 때 나오는 그런 곳이 회사는 아니야, 도대체 어쩌려고 복직을 한 거

니?' 라는 내 스스로의 자책 어린 말이 귓가에 윙윙
거렸다.

　그때 위로가 되어주었던 남인숙 작가의 『다시 태
어나면　당신과　결혼하지　않겠어』에는　인간이라면
누구나　후회할　일을　만든다고　했다. 하지만　후회할
일에　한숨짓느냐　시간을　보내느니, 저질러　놓은　일
에　책임을　지는　데에　온　노력을　다하라고, 과거보다
는　현재에　관심을　둔다면　결론적으로　삶의　질을　높
이는　방법이라고　조언했다.

　그래　어쩌겠어, 이미　엎어진　물이고　후회해　봐야　시간
만　가지. 이왕　복직했으니　주어진　일을　잘　감당해　보는
수밖에. 남인숙　작가의　책을　읽으며　밑줄을　박박　치며,
글을　쓰며　잘　견뎌내길　다짐한다.

결국, 다시 들어갈 수밖에 없었던 휴직

　복직하고도　일주일여의　대기　후　받은　업무는　CP직
총괄, 북로그　관리와　더불어　홈페이지　개편에　따른　상
황별　도서　추천　목록　및　맘에　닿는　글귀를　찾고, 카피
글을　작성하고, 검색　키워드를　입력하는　일이었다. 방

대한 분량의 책을 실제로 봐야 하기에 혼자서는 할 수 없었고, 당연히 팀원의 협조가 필요했다.

반면 팀원들은 도서 등록, 책 소개, 데이터 클렌징, 키워드 입력 등 본인의 업무는 그대로 인 채, MD의 일이자 내 일에 협조해야 한다니 불만이 머리끝까지 솟아 있었다. 같은 소속이라는 이유로 마케팅의 이곳저곳에서 팀원들의 협조를 요구했지만, 일만 쌓여가는 후배들은 함께 밥을 먹을 때마다, 회의할 때마다, 힘들다고 호소했다. 특히나 적은 급여이기에, 그에 합당한 일을 요구하는 건 어찌 보면 당연했다.

이러지도 저러지도 못하는 나는 출근하기가 겁이 났고, 외로웠다. 후배들과는 점점 감정의 골이 깊어졌고, 나는 어디에 자문을 구할 곳도, 동료도 없어 노동조합에 메일을 보내고 상담을 하기도 했다. 함께 동고동락하던 동기는 쌍둥이를 낳고 육아휴직 중이었고, 나는 혼자 땀을 뻘뻘 흘렸다. 최고참이지만 아무것도 할 수 없는 무력함이 외롭고 괴로웠다.

5월에 복직했던 나는, 결국 11월에 재휴직에 들어갔다. 얄팍하게도 지금의 어려움을 이직으로 피하려고 했다. 9월 즈음 국립중앙도서관의 모집공고가 떴고, 느닷없이 이곳을 가야겠다며 공부를 시작했다.

(누구나 가려는 곳은 싫다고 할 땐 언제고... 뒷북이다-_-) 오랜만에 다시 하는 전공 공부가 꽤나 재미있었다. 그래서 시험 한 달 전, 공부에만 전념해야겠다며 다시 휴직했다. 물론, 회사에 욕먹을 각오는 백 번, 천 번 했고, 안 좋은 이미지는 차곡차곡 쌓였을 거다. 그 당시엔 휴직만이 내 도피처였다. 하여간에 휴직에 성공하여, 아침 9시부터 밤 9시~10시까지 3개월간 재미있게 공부했다. 남편도 어머님도 열심히 하는 나를 적극 지원해 주었고, 혹시나 3개월 만에 붙을까? 하는 기대감도 있었지만, 역시나 3개월의 공부로는 턱도 없는 일이었다. 맥없이 떨어졌고, 때마침 둘째도 덜컥 생겨버려, 산전 휴직과 육아 휴직을 이어갔다.

정말로 재취업을 하고 싶었다면, 3개월만 공부했으랴. 몇 년을 준비해서 가는 곳인데, 나는 겨우 3개월 공부하고 포기해 버린 건, 나의 미래가 불투명해서였다.

남편의 직업상 나는 언제 그만둬야 할 상황이 올지 몰랐다. 내가 1~2년 혹은 2~3년 공부해서 입사한들, 얼마나 더 일할 수 있으며, 급여도 대단하게 차이가 날 것 같지도 않았다. 또, 공부한다고 아이들과 가족들과 함께할 시간을 줄이는 것도 마땅치 않았다. 여러 이유로, 공부는 그만두고 육아에 전념했다. 내가 결심했다기보다는, 선택지가 없었다. 대체로 나의 의지로 어떤 것으로 이루고 나아가기보다는, 상황에 맡긴 채로 자연스러운 선택을 하는, 내가 여태껏 고수해 온 삶의 태도에 따른 것이리라.

셋째까지 이어진 육아휴직

조기 복직했던 첫째 때와는 달리, 두 번째 휴직은 생각보다 길어졌다. 둘째의 출산 후에는 집안에 하루 종일 있어도 전혀 답답하지 않았고, 내가 줄 수 있을 때까지 모유 수유도 제법 했다.

첫째는 한 달 하고 포기했던 거에 비해, 9개월의 모유 수유는 상당한 발전이었다. 동네 엄마들과도 친분이 생겼다. 둘째가 태어나기 전까지는, 어린이집에 애들을 보내고 엄마들끼리 수다의 장이 벌어졌다. 쇼핑을 하기도 하고, 누군가에 집에 둘러앉아 티타임을 즐겼다. 아이의 하원 시간은 참 빨리도 왔다.

운동선수에게는 루틴이 있다는데, 엄마들도 마찬가지였다. 엄마들마다 차이가 있지만, 나의 경우 아이를 등원시키고 후다닥 집에 와서 청소하고 저녁거리 만들어 (혹은 생각해) 놓기, 그리고 엄마들과 상봉하기, 가 그 당시 루틴이었다. 해도 해도 끊이지 않는 수다는 힐링과 해방의 시간이었다. 남편의 귀가가 늦는다거나 하면 저녁까지 공동육아를 하는 경우도 왕왕 있었다. 성격도 직업도 살아온 환경도 다 다른 엄마들인데, 아이라는 공통점 하나로 자신의 깊은 이야기들까지 거리낌 없이 했다.

둘째가 태어나도 루틴은 계속되었다. 아이를 늘 데리고 다녔다는 것 외에는 다를 게 없었다. 둘째도 돌이 지나 첫째와 같은 어린이집에 들어갈 수 있어, 드디어 자유를 얻었다고 생각했을 때, 자유는커녕 셋째가 입성했다. 아주 마음에 없던 것은 아니었지만, 계획했던 것도 아니었고, 생각보다도 너무 빠르게 셋째의 소식을 마주한 터라 눈물이 났다. 두 아이의 육아와 살림만으로도 충분히 벅찼다. 앞으로 셋을 어떻게 키워야 하나, 부주의한 내 탓도 해보고, 생각 없는 남편 탓도 해봤으나, 소용없는 일이었다.

가장 먼저 엄마에게 소식을 알렸더니, 정 안 되겠으면 병원에 빨리 가보라고 했다. 아이를 지우라는 얘기였다. 어떻게 생긴 생명을 나 스스로 지운단 말인가. 절대 안 될 일이었다. 일을 하는 엄마가 도와줄 수 없기에 하는 얘기일 테지만, '할 수 있다, 도와주겠다.'라는 응원을 듣고 싶었던 마음과는 반대로 상처만 입었다. 이 모든 일의 원흉인 남편에게는 더욱 화가 났지만, 그래도 귀한 생명 주신 것에 감사하며, 어쩔 수 없이 스스로 마음을 추슬렀다.

막내는 뱃속에서 쑥쑥 자랐고, 불러오는 배를 부여잡고 아이 둘을 케어했다. 어느 때는 둘째의 예방접종을 제때 못 맞춰 몰아서 맞춰야 했는데, 남편이 접종하러 병원에 가니 의사가 그랬단다. '엄마는 뭐 하시는 분이세요?'라고. 예방접종도 제대로 못 맞추는 엄마에 대한 편잔이었을까? 울분이 찬 나는 그 이야기를 전하는 남편에게 한바탕 쏟아 부었다. 아빠가 챙길 수는 없는 거냐고. 왜 다 엄마의 몫인 거냐고. 그때엔 그랬다. 작은 일에도 날이 섰다. 그냥 좀 바쁘고 정신없다, 정도로 했었는데, 누군가 '아휴~힘들죠?'라고 한마디 위로해 주거나, 등을 토닥여줄 때면 정신을 차리기도 전에 눈물이 주르륵 흘러 있었다.

드디어, 세 아이의 엄마가 되었다.

우여곡절 끝에 가족계획이 끝나고 완전체가 되었

38

다. 동서네 가족도 아이가 연년생으로 셋이어서, 두 집이 매년 번갈아 백일잔치, 돌잔치를 하며, 연이은 파티를 했다. 나의 삼십 대는 딱 두 마디로 축약할 수 있었다. 결혼과 출산과 육아.

아이를 키우는 건 누구나 알듯 녹록하지 않았다. 첫째 때는 예민한 엄마 모드로 오로지 육아 책에 의존했다. 어른들 말도 잘 듣지 않고, 책에 목숨 걸었다. 책대로 되지 않으면 혼자 우울해하고 힘들어하길 반복했고, 책대로 따라주지 않는 식구들에게도 예민하게 굴었다. 그놈의 먹기-놀기-자기 패턴을 만든다거나, 누워서 재우기 등 엄마가 편해지는 육아법에 올인했는데, 이상하게 나만 더 피로해졌다.

둘째 때부터는 육아서는 버렸다. 볼 시간도 여유도 없었다. 첫아이와 놀아야 해서 둘째는 배고프다고 하면 젖을 꺼내고, 쉬나 똥을 쌌다고 울어 재끼면 기저귀를 가는 식이었다. 셋째는 아예 어머님의 손에 의지했다.

그렇게 셋째의 신생아 시간을 정신없이 보내고 나니 복직이 기다리고 있었다.

나의 구원자, 어머님

 아이가 셋이나 되는데 군이 회사를 나가야 할까? 첫
아이 때도 고민하는 바였지만, 셋째에는 더 큰 고민이
되었다. 그래도 도와주실 분이 계시니, 사회생활을 이
어가는 것이 맞다고 우리 부부는 의견을 모았다. 어머
님은 첫째 복귀 때부터 아버님이 아프시기 전까지 아
이들의 등·하원과 살림을 맡아주셨다. 어머님이 안 계셨
다면 연년생의 세 아이를 둔 나는, 복직이라는 꿈을
꾸지 못했을 것이다.

 막내가 돌이 될 무렵, 이번에도 어머님의 도움을
힘입어 회사로의 복귀를 희망했다. 첫째 때는 생전
처음 만나보는 육아의 세계에 놀라, 허둥지둥 복귀
를 희망했지만, 셋째 때의 복귀는, 자라는 아이들의
교육비와 턱없이 오르는 집값으로 더 이상 집에만
있을 수는 없어서였다.

 문제는 '어디로 복귀하는가?'였다. 반은 퇴사하고 (그
중 내 동기도 포함이다. 복귀 시점에 자리가 매장밖에
없다는 소식에, 쌍둥이를 키우고 있는 입장에서 주말
근무를 할 수 없어 퇴사하게 되었다.) 반은 일반직으로
전환되어 다른 팀으로 흡수되었고, 아직 전문직인 나는
일반직으로 바뀐 이전의 부서로는 갈 수 없었다. 선택

지는 물류, 고객상담, 매장의 세 가지가 있었으나, 물류는 자리가 없었고, 매장은 주말 근무가 있었다. 어린이집도 안 가는 주말에는 남편도 주말 근무를 하기 때문에, 어머님 혼자 아이 셋을 볼 수는 없었다. 내가 할 수 있는 선택은 고객상담팀 밖에는 없었다.

<u>당신의 복직 부서는 고객센터입니다.</u>

고객상담팀은 우리가 알고 있는 '콜센터'고, 지원 부서와 상담 부서로 나뉘어 있다. 사실은 설마 고객센터에서 진짜로 상담을 하라고 하겠어, 하는 마음이 없지 않았다. 인사팀에 직접 상담을 하지 않는 '지원 부서'의 공석을 물으니, 당연히 없고 앞으로도 지원 부서의 자리가 나기는 어렵다고 했다. 그래, 얼마간 상담 부서에 있으면 다시 다른 부서로 보내 주겠지. 설마 여기에 계속 있게 하진 않겠지, 라는 나 혼자의 '설마 기대감'으로 고객센터 인바운드 상담팀으로 복귀했다. 즉, 콜센터에서 전화를 받는 상담원이 되었다는 뜻이다.

입사 후 한 달은 신입 교육이었다. 2주간은 이론교육이고 2주는 동석 청취와 실제 전화를 받아보는 것으로 진행된다. 일단은 엄청난 프린트로 기가 죽었다. 결제 관련, 회사 구석구석의 부서에서 벌어지는 이벤트들, 사업들이 프린트 안에 다 있었다. 나 외에 신입은 두 명이었는데, 정규직 직장으로는 거의 처음인 20대 친구들이었다.

교육받을 때는 분량이 많아도 즐겁기만 했다. 끝까지 함께 할 것처럼, 한 명의 이탈자 없이 성실하게 교육을 받았다. 특히 나는 몇 년 만에 첫 출근하여 받는 교육 시간이 힐링이었다.

출근하기 위해 나를 들여다보고 가꾸는 시간도 좋았고, 점심시간에 20대의 친구들과 맛집을 탐방하며, 진짜 신입이 된 듯 신이 났다. 하지만 그 친구들과의 인연은 거기까지였다. 안타깝게도 교육 후 실무에 투입된 건 나 혼자다.

한 명은 교육 때도 가장 먼저 오고, 복습까지 해오는 모범생 스타일이었는데, 교육 중 퇴사를 두 번 번복했다. 실제로 전화를 받아보니 업무 숙지가 덜 된 상태에서 전화를 받는 게 부담스럽다고 했다. 나머지 한 명은 교육이 끝날 때까지는 무리 없이 잘 해내고 있었으나, 실무 투입 첫날 퇴사 의사를 밝혔다. 앞으로도 계속 전화만 받아야 한다고 생각하니 자기가 할 일은 아닌 거 같다는 이유였다. 한 달간 같이 교육받은 동기고, 복직하고 첫 동료라 맘을 많이 준 탓인지 아쉬움이 많았다.

나는 의외로 적성에 맞는 걸까 싶었다. 회사에 그래도 10년여 있었기에 알고 있는 서비스가 얼추 반 이상은 됐고, 프로그램도 많이 쓰진 않았지만 익숙한 화면이기에 어렵다는 생각은 들지 않았다. 오히려 나 혼자 일하던걸 고객한테 알려줄 수 있다는 '희열' 같은 것도 든 것 같다. 학과에서 배웠던 도서 상담 서비스, 검색 따위의 것들을 드디어 써먹어 보는구나 싶었다.

8명의 소수집단의 최고참으로 있던 때에 비해, 60명의 집단의 말단으로 다시 시작하는 것이 나쁘지 않았다. 내가 실수하더라도 누군가가 해결해줄 수 있는 방패가 있다는 것이 안도가 되었다. 그 나름의 체계와 질서가 뚜렷하다는 것도 마음에 들었다. 그리고 정시 퇴근한다는 것, 잘만하면 최고 30만 원의 인센티브가 있다는 건 최고의 장점이었다.

책임을 지지 않아도 된다는 것

이전 부서에서 맡았던 리더로서의 흑역사 때문인지, 신입으로 처음부터 다시 시작한다는 것에 설레었다. 신입직원은 열정만 있어도 충분하지 않은가. 넘어지면 다시 일어서면 되고, 모르면 물어볼 곳이 있으니까. 부모에게 책임이 뒤따르는 것처럼, 회사에서의 관리자는 그에 따른 책임 또한 당연한 것이다.

아이는 선택의 자유가 있는 어른이 되고 싶어 하지만, 선택 뒤에는 무거운 책임이 따른다는 것을 알 길이 없고, 신입사원은 승진을 꿈꾸며 회사 생활을 하지만, 막상 팀장의 자리는 외롭고 무거우며, 빠른 승진은 빠른 퇴직이 될 수도 있다는 것이 만고불변의 진리 아니던가.

이전 부서에는 준비가 되지 않은 때에 덜컥 관리자가 되어버려 갈팡질팡했었다. 결정해야 할 때 어영부영하고, 책임을 져야 할 때 적절히 이끌지 못했던 것에 대해 자책도 많이 했다. 그것이 내 깜냥이라고. 조직 생활은 나와 맞지 않는다고. 나의 선배들, 우리 팀에 불시착했다 사라져 버린 조직장들이 생각났다. 우리 조직장은 왜 저렇게밖에 못할까, 무심코 내뱉었던 말들이 나에게 다시 돌아오는 날들이었다.

이제, 다시 신입이 되었으니, 고객센터의 선배들에게, 관리자에게 아낌없는 응원의 박수를 보낼 차례다.

"충분히 잘하고 계십니다."

<u>입사 10년 차, 화장실에서 몰래 울었다.</u>

 보통 석 달까지는 신입으로 보고, 양옆에는 베테랑 선임을, 뒤에는 매니저를 배치하여 고객 응대 시 잘 모르거나 문제가 생길 때마다 응급처치를 해준다. 그러니까 한 달은 이론교육, 두 달은 실무교육으로 보면 되겠다.
 실무에 투입되자, 고객들의 질문에 머리가 하얘진다. 배웠던 프린트물은 너무 방대해서 찾고 있을 시간도 없다. 그러다가 버럭 고객이 화라도 내는 날엔, 말더듬이가 되어버리는 건 순식간이다. 그러면 다시 고객의 화를 돋우는 꼴이다. 의외로 잘 맞는 거 같다는 건, 어리석은 착각이었다.

전혀 적성에 맞지 않았다!

 "은하 씨 쫄지 마요. 우리가 무조건 벌벌 떨 필요 없어요. 고객이 화를 내 든 말든 우리는 규정대로 일단 안내하고, 그래도 안 될 땐 팀장님과 상의해 보겠다고 하고 종료하면 돼요."

 전화를 받을 때마다 심호흡하며 다짐한다.

"쫄지 말고 규정대로!"

수만 번 외쳐도 안된다. 자꾸 쫀다. 규정이 뭔지도 헷갈린다. 신입은 열정만 있으면 된다고? 말도 안되는 소리다. 여긴, 전쟁터였다! 자리에 앉아서 데이터를 입력하고, 수정하는 지원 부서의 일이랑은 차원이 달랐다. 바로 묻고 대답해야 되는 일촉즉발의 순간들이 계속되었다.

더 문제는 고객과의 상담이 끝이 아니라는 것. 바로 해결이 되지 않는 질문들은 확인하여 안내하겠다는 답변을 남기고, 지원 담당에게 '클레임 접수'란 걸 한다. 배송은 배송 담당자에게, 해외 주문은 해외 주문 담당자에게, 결제 관련은 결제 담당자에게. 이 접수도 장황하게 하거나 있어야 할 정보가 없으면 혼쭐이 난다. 실시간 감청을 하는 매니저에게도 이래저래 꾸지람을 듣는 게 이곳의 '신입'이었다.

처음이니까 어렵고 정신없고, 혼나는 게 당연한데도, 이리 치이고 저리 치이는 상황이 낯설기만 했다.

'이렇게까지 혼날 일인가? 내가 어디가 모자란 걸까? 이 문의는 어디로 접수해야 하는 거지?'

나를 의심하는 질문들이 많아졌다. 바보가 된 기분이었다. 그러다가 급기야, '말귀를 못 알아먹는다.'는 날벼락 같은 고함을 듣고 울고야 말았다. 수치스러웠다.

이제 막 시작하는 직원에게 이런 폭언을 한다고? 이해되지 않았다.

이전 마케팅팀에 있을 때, 매출이 저조하거나 의상에 신경 쓰지 않는 직원에게 상처 주는 말을 아무렇지 않게 하던 과장님이 떠올랐다. 노조 익명게시판에 누군가 올린 글이 공론화되어 일 없이 책상에만 앉아 있다가, 일주일여 후 퇴사했던 기억이 또렷했다.

난 10년 차 구입이었다. 처음에는 울었지만 두 번 세 번 되자 팀장님께 보고했고, 그 후로 다른 관리자 팀으로 배정받아 인센티브까지 받으며 잘 지냈다. 듣기론 그분의 스타일로 신입들은 버티지 못하고 퇴사했고, 연차가 된 직원들이야 퇴사할 순 없으니, 고충을 토로했다고 한다. 지금 그분은 다른 파트의 관리자로 이동했다.

콜센터에 전화하면 늘 나오는 안내 멘트는

"상담사에게 폭언 등을 하지 말아주세요. 누군가의 가족이 여러분을 위해 대기하고 있습니다."다.

상담사끼리도 예외는 아니다. 일이 아닌 인격모독은 어느 곳에서도 합당하지 않다.

관리자님 존중하고 응원하지만, 좀 더 젠틀하게 교육 부탁드립죠!

10만 원이 뭐라고

잘 버텼다.

이런저런 일에도 나름의 페이스를 잘 유지했다. 해야 할 말은 해 가면서, 하지 말아야 할 말은 참아 가면서, 듣기 싫은 말은 흘려버리면서, 기억해야 할 말은 메모하면서, 버티어 냈다.

고함을 치며 나무랐던 관리자도 '너무 잘하고 있다'며 칭찬해 주었다. 더불어 고무적인 일은, 소정의 인센티브도 받았다는 것. 단축근무임에도 10만 원이라도 탈수 있다는 건, 의욕을 끌어내기에 충분했다.

인센티브는 각 팀에 2명씩 콜 인입수, 아웃콜 수, 근태, 친절 및 불친절, 대기시간, 작업시간 등을 수치화하여 실적이 좋은 팀원에게 매달 시상하는데, 단축 근무자인지라 아예 대상에서 제외된 줄 알았다. 1등은 넘볼 수 없는 산이었고, 풀로 근무한다면 10만 원 정도의 인센티브는 노려봄 직도 했더랬다. 하지만 단축 근무하면서 인센티브까지 생각할 수는 없었기에 생각도 하지 않았는데, 불현듯 찾아온 10만 원의 격려금은 자신감을 북돋아 주었다.

인센티브 대상자가 되고 보니, 실적표를 꼼꼼히 살펴보게 되고, 모니터링 점수를 자세히 들여다보게 됐다. 이전에도 89점 받은 적이 여러 번이었는데, 그냥 잘 안 나오네 하고 말았지, 아니 이번엔 왜 이렇게 낮게 나온 거지? 하고 의문을 품지 않았다. 콜 점수에 연연하지 말자 다짐하면서도, 자꾸 콜수를 들락날락하며 확인하는 나였다.

항목별로 점수를 매겨 합산한 점수가 80점 이상은 10만 원, 85점 이상은 20만 원, 90점 이상은 30만 원의 인센티브가 지급된다. 나는 간당하게 턱걸이로 80점을 넘어 인센티브를 받아 왔는데, 모니터링 점수가 떨어진 달은 충분히 짐작할 수 있었다. 이번 달 인센티브는 물건너갔구나! 그러면 어느덧 목소리가 상냥해졌다. 다음 달 모니터링 점수는 잃지 말아야지! 통장에 돈이 들어와야 연기가 된다던 배우처럼, 떨어진 모니터링 점수는 상담원을 친절하게 했다.

콜이라도 많이 받으면 만회할 수 있을 테지만, 통화가 끝나자마자 대기를 눌러도, 많은 콜이 꽂히지 않는 때도 있다. 표면적으론 절대 평가지만, 인입되는 콜 수를 상담원끼리 나눠 받는 것이기에, 누군가가 많이 받으면 누군가는 떨어지게 되어 있다. 오는 대로 받고 있지만, 이전처럼 콜 수가 늘지 않는 걸 보니 다들 열심히 받나 보다 싶었다.

이런 참, 10만 원이 뭐라고!! 아무래도 인센티브의 노예가 된 것 같다. 10만 원 못 받을까 봐 안절부절인 내 모습을 누가 눈치라고 챌까, 부끄러웠다.

이런 속내를 오랜 친구들에게 내비쳤는데, 이런, 친구들도 다르지 않았다. 성과 급여가 나오는데 본인만 B+라 다른 동료의 절반 정도밖에 못 받는다는 얘기가 메신저를 통해 들려왔다. 일도 잘하지만 윗사람에게 좋은 인상을 주는 것 또한, 직장인의 숙명이다. 아이들 케어로 퇴근하기 바쁜 그녀는 상사 눈엔 그저 일보다는 육아가 먼저인 엄마일 뿐이기에 성과급의 욕심은 사치였다.

 또 다른 친구가 점심시간에 잠시 다녀갔다. 딸아이 작아진 옷을 우리 아이들에게 물려주곤 했는데, 오늘도 자그만 쇼핑백에 아이들 옷을 챙겨 갖고 왔다. 한창 아이들 교육 얘기에 심취하다가, 7급 승진 대상자이고 본인이 가장 연차가 많음에도 밀려 속상하다는 속내를 전했다.

 "그들은 휴직한 적 있니?"라고 물었더니 없다고 했다. 그녀는 휴직 때문은 아니라고 했지만, 나는 관계가 있다고 확신했다. 엄마들은 승진이, 성과가 자꾸 밀려난다.

−육아휴직 기간 중 조직 변동이 있었다. 육아휴직 후 복직했으나 업무 없이 방치되었고 퇴사를 종용하고 있다.

−매장 관리자였는데 육아휴직 후 회사에서 적응 기간이 필요하다며 관리자로 발령을 내지 않았다. 그럴 수 있다고 생각하고 일반 업무를 하고 있는데 수개월이 지난 지금도 발령이 되지 않았다. 내가 육아휴직을 사용해서 관리직으로 발령을 내지 않고 있는 것 같다.

−중간 관리직으로 근무하다가 육아휴직을 사용했다. 복직하니 회사에서 TO가 없다는 이유로 직책을 박탈했

다.

<2019 서울여성노동자 사회 평등의 전화 상담사례 오마이뉴스 기사 중 발췌>

그러면서 친구는 국립중앙도서관 공고를 보여줬다. 공무원이 됐음에도 그녀는 늘 '국중' 시험을 봐왔고, 한동안 잠잠했으나 진급까지 밀리니 다시 시험을 보고 싶은 모양이었다. 열심히 공부할 자신은 없지만, 시험은 보고 싶은 그런 마음, 나도 안다.

나도 친구가 보여준 공고를 보고 한 번 더 해볼까 싶어 잠깐 고민도 했다. 나이 마흔에 신입? 공무원 공부? 들어간다고 해도 정년까지 다닐 수는 있을까? 계산기를 두드려보니 아니다 싶었다. 친구에게도 "같은 급수고, 그쪽 승진도 밀려있다는데, 똑같은 고민 아니냐, 그냥 있는 게 좋겠다."라고 말하면서도, "그렇게 계속 거기 못 가서 아쉬운 거면 가버려!"라고 얘기했다. 그게 뭐 쉬운 일인가, 둘 다 알고는 있었지만.

인센티브에 눈멀 정도로 나는, 이곳 고객센터에 꽤 적응했다. 3년여의 휴직으로 전혀 생각지도 못한 부서에 와서 마음고생했지만, 그래도 잘하고 있다고 다독여본다. 그리고 복직하여 고군분투하는 나의 모든 친구들, 이 시대의 워킹맘들에게 응원의 메시지를 보낸다.

마흔을 앞두던 때

 마흔을 앞두고, 나는 다시 신입이 되기 위해 회사 정관과 기초지식을 공부하고 있었다. 십 년을 넘게 다닌 회사에서 다시 신입으로 일하기 위해 책자를 들여다보면서 이상하게 마음이 착잡했다.

 타사 입사의 경우 당연히 거쳐야 하는 수순이지만, 10여 년을 일한 곳이고, 보통은 경력 기술서와 면접만으로도 뽑는 수순이라고 하는데, 2차 실습과 면접까지 있는 이 기나긴 여정을 보내는 게 맞는지, 한다고 되는 일인 건지 갈팡질팡하였다.

 나름 회사에서는 공채 형식으로 전문직군을 일반직으로 전환해 주는데, 이 제도가 생긴 지 올해로 두 해째다. 초년생을 위한 제도일 텐데, 내가 지금 굳이 일반직을 지원하는 게 맞는지, 지원했으면서도 고민이다. 인사팀에 전화하니 일단 나이 제한은 없다고 확답은 받았다.

칼퇴가 보장된 직군으로 일하면서 나름 다른 공부도 해봐야지, 글도 써야지 야심 찬 포부도 있었는데, 공모가 뜨면 자동반사적으로 지원을 한다. 신분 극복을 갈구하는 사람마냥, 그냥 직군 전환을 하고 싶은 욕심이기에, 내가 정말 원하는 게 무엇인지 생각해 보게 되지만, 그럼에도 멈출 수는 없다.

필기시험 전형은 코로나가 2.5단계로 격상되면서 온라인으로 시험을 쳤다. 다른 세상에서 일어난 일 같은 새로운 경험이었다. 시험 보는 영상을 실시간 감독할 수 있도록 각도에 맞추어 카메라를 켜두면, 감독관이 영상을 보며 요청 사항은 메모로 소통하는 방식이었다. (참, 사람은 어떤 상황에서도 방법을 찾아내는 대단한 존재다!)

시험은 정해진 분량을 공부하면 되었기에 무리 없이 봤다. 아마도 다들 비슷하지 않을까 싶었다. 다음으론 면접 일정인데, 5인 이상이 모여야 하기에 진행이 안 되고 있다. 무기한 연장이다.

마흔 전에 시작한 시험 일정이 마흔이 넘어서도 진행되지 않고 있다. 면접은 아직도 대기 중이고, 성수기를 앞두고 있고, 그사이 신입에 속하는 9명가량의 직원이 대거 퇴사했다. 나도 이제 이곳 일은 그만하

고 싶은데, 작년 한 해 열심히 했다고, 빛나는 성과
는 아니나 노력해 주었다고, 노력상으로 소정의 상
품과 인센티브를 받았다. 이것 참, 위안은 된다마는,
됐고! 그래도 이제 면접 좀 봤으면 좋겠네!

화상 면접

 사내공모의 진행이 드디어 재개됐다. 1차만 두 달
여 기다렸다. 코로나가 잠잠해지지 않아 결국은 화
상으로 진행된 면접. 모바일로 하는 건지, 노트북으
로 하는 건지부터 헷갈렸다. 방법을 보니 모바일인
데, 모바일로 10명 이상이 모여 다대다 면접이 가능
하다고? 어떻게 진행될지 상상이 안 됐다.

 노트북으로 하고 싶었지만 여의찮아 모바일로 미팅
에 참여했다. 마이크를 켜고, 카메라를 켜고, 한 명
씩 테스트를 시작했다. 정말 이렇게도 면접을 볼 수
있구나! 필기시험 때도 놀라웠지만, 면접은 더 신선
했다.

 면접자는 각 휴대폰을 사용하고, 심사위원은 한 명
씩 차례로 휴대폰을 옮겨가며 질문했다. 인터뷰를
하는 도중 외부차단을 해놓지 않은 나는 면접 후 만

나야 할 대출상담사 전화를 끄느냐고 미팅장을 몇 차례 들락날락했다. (이상하게 전화를 거절하고 나면 소리가 들리지 않았다.) 이런 사건사고에도 무사히 면접은 진행되었다.

매장직 공모였으나 본사 직무가 가능한 인재를 뽑는다고 했다. 질문은 날카로웠다. 2명 제외한 나머지는 모두 매장 업무를 하고 있던 직원들이기에, 그분들에게는 좀 더 구체적인 성과나 계획 등의 질문이 이어졌다.

공통적 질문은 본사에 가면 어떤 일을 할 수 있겠는지 이유와 함께 설명하라, 오프라인에서의 디지털 트랜스 포메이션을 위해 향후 5년간 집중해야 할 분야가 있다면 어떤 게 있는가, 등의 질문이었는데, 추운 건지 긴장한 건지 초반에는 바들바들 떨며 대답했다. 다른 면접자들도 마찬가지였지만.

같은 면접자이지만 누가 인상이 좋은지, 똑 부러지게 잘 대답했는지, 엉뚱한 얘기만 하고 있는지 다 보였다. 보면서도 나 역시 질문을 받으면 머릿속이 하얘져 무슨 말을 하고 있는지 헤맸다. 싱어게인 이승윤처럼 멋지게 말하고 싶었는데.

나중에는 우리 조에 이런 말도 하셨다.

"다른 조에서는 이런 말 안 했는데, 여러분들에게 어느 강점이 있어 어디에서 일할 수 있을지 발견하는 자리인데, 그런 게 보이지 않아서 계속 질문하는 거예요."

두둥. 우리 조는 영 시원찮았나 보다.

면접 경험이 많지 않아서, 집에 오고 보니 이 말을 해야 했는데, 저 말은 왜 안 했지, 그 말은 뭣하러 한 거야. 면접관은 왜 나에게만 그런 질문을 했을까, 혹시 합격인가? 근데 저 면접관에겐 너무 이상한 말만 했잖아. 떨어진 것 같아, 등의 온갖 잡념들로 잠을 설쳤다.

떨어지면, 더 이상의 사내공모는 지원하지 못할 것 같고, 회사에 대한 상처도 클 것 같았다. 붙으면, 주말 근무와 오후 근무 시 아이들을 어떻게 케어해야 하나, 어머님한테 다 부탁드려도 괜찮을까, 주말 도우미를 써야 할까, 설레발 걱정들도 곁들였다. 결과 나오면 걱정해도 되는데, 꼭 이런다.

마지막에 인사팀장님이 화상 면접에 대한 소감을 물었었다. 다들 만나지 못해 아쉽고 더 떨렸다고 했는데, 나는 신선하다고 답했다. 그게 사실이었고, 내가 어디

가서 화상 면접을 해보겠나 싶었다. 면접이란 것이 현재 내 위치를 알기에는 더없이 좋은 관문이고, 여실하게 나의 부족함을 목격하고 한없이 작아지긴 했지만, 그럼에도 잘했다고 토닥여주고 싶다. 두 번 면접 보고 싶진 않지만, 수고했다!

<u>사내공모의 탈락.</u>

면접을 보고 합격 당락은 빨리 결과가 나오는 편이다. 합격자는 전화로 가장 먼저 알려준다. 면접을 보고 휴일이 지나고 출근길에, 이르면 오늘도 결과가 나오겠거니 하며 길을 나섰다. 수십 번 메일을 들락날락, 부재 전화가 없는지 들었다 놨다, 결국 퇴근길에 인사팀에 결과가 혹시 나왔는지 전화해 물었다. 지금 정리해서 보고할 거고, 이르면 내일 나온다고 했다. 작년에도 무작정 기다리다 이미 결과가 다 나왔던 전적이 있어, 마냥 기다리기 싫어 인사과에 바로 전화해 물었다.

내일이 되었다. 두 아이가 어린이집과 유치원에 처음 입소하게 되어 아침부터 준비하느냐 정신이 없었다. 이 날 등 하원만 세 번을 했다. 그러는 와중에도 휴대폰으로 회사 메일을 새로고침 해가며 수시로 확인하고, 전화기를 열었다 닫았다 했다. 오후가 늦도록 아무 연락이 없었다. 또 인사과에 전화하긴 민망해, 담당 과장님께 결과가 나온 거냐고 문자를 넣었다. 오늘 중 메일로 공지된다고 했다.

실시간 메일 새로고침 끝에, 드디어 메일에 1이 보였다. 떨리는 마음으로 메일을 열었다. 합격일까, 불합격일까.

불합격이다. 필기시험은 30점 만점에 27점이었으나, 면접점수는 30점 만점에 15.6. 1그룹에서 3그룹으로 나뉘었고, 나는 2그룹에 속했다. 공통 역량은 우수하나 직무역량 향상을 위해 현 직무에서 지속적인 성과 창출이 기대되는 자, 라니. 망할. 그냥 너의 자리에 만족해, 라는 메시지였다.

시험 결과는 면접이 다였다. 허무했다. 자신감도 바닥을 쳤다. 퇴사하고 싶었다. 내 나이 마흔이고, 이젠 나의 미래를 기대하는 이가 없다. 지금까지 해온 성과가 나의 전부였다. 회사의 마음을 알아버려, 회사에서의 나의 미래가, 낙심됐다. 앞으론 어떻게 지내야 하지. 난 뭘 해야 하지.

다시는 지원하지 않겠다, 사내공모. 이거 하나는 확실

했다.

적응했나 싶다가도, 매 번이 고비였다.

업무도 어느 정도 숙지되고 콜도 안정감 있게 뽑아
내고 처리하는 수준이 되었으니 할 만하다는 생각이
들기도 했지만, 그런 생각이 들기 무섭게 욕설을 퍼
붓는 고객이나, 말도 안 되는 꼬투리를 잡아가며 본
인의 것을 얻어 가려는 고객을 맞닥뜨릴 때마다, '아
역시 아니었어.'라고 되뇌게 되었다. 이곳에 적응이
라는 게 있기나 한 걸까? 콜을 잘 받더라도, 난 여
전히 어딘가는 모자란 사람이었다.

조직생활에 부적합한 성격

어떻게 10년이나 조직 생활을 했나 싶게, 내 천성은
자유인에 가깝다. 해야 할 말이나 궁금한 점은 물어봐
야 직성이 풀려서 신입 시절엔 '송 다르크'라는 별명까
지 있었을 정도다.

사회생활을 해 보니 알았다. 말하고 싶지 않아서 안
하는 게 아니라, 궁금하지 않아서 안 물어보는 게 아니
라, 그 물음으로 인해 돌아오는 막중한 결과가 기다리

고 있다는 걸 알기 때문이다. 나의 작은 궁금증으로 인해 상사에게 각인될 만한 이미지를 심어주는 건, 안전한 회사 생활을 위해 삼가길 바란다. 어지간하면 관리자에게까지 물어보거나 보고하지 않는 것이 회사 생활의 에티켓 같은 거랄까. 이제 알만도 한 데도 나는 번번이 같은 실수를 반복한다. 이게 도대체 왜 안 된다는 거지? 너무 비효율적 아닌가? 관례로 다들 그렇게 지내는데, 아무것도 모르는 도화지처럼, 나는 내 생각을 말해 버린다.

'그래도, 괜찮은 걸까?'

괜찮다고 생각했었다. 드러내야 상사도 안다! 알려줘야 한다! 내 인생의 모토가 아니었나 싶을 정도로 그렇게 살았다. 나 하.고.싶.은.대.로. 그러나 회사를 다닐 거라면 안.된.다. 참.아.라!

회사가 내 개인의 편의를 봐주는 곳은 아니지 않은가? 손해를 조금 보더라도, 개인 의견은 한 발짝 물러날 필요가 너무 많다. (는걸 이제야 안다. 나처럼만 하지 말자.) 그 관례가 싫다면 조용히 회사를 떠나는 게 낫다. 내가 조직의 문화를 바꿀 수는 없는 노릇이니. 이 모든 걸 덮을만한 강점, 나만의 무기가 있다면 또 모르겠다. 그냥 그 사람의 특징이라고 덮어줄 수 있을지 모른다. 나는 그것조차 없었다.

갈수록 혼자가 되어가는 관계

고객센터에 맘 붙이고 다닌 지가 어언 1년 8개월. 2년여 가까운 시간에도 이렇다 할 짝꿍이 없이, 뜨내기처럼 일만하고 퇴근했다. 맘 맞는 한 사람만 있으면 되는 소규모 지향 인물이라, 어느 누구 없이 회사 생활을 한다는 건 고난의 길이었다.

사실 나는 복귀자들을 눈독 들여왔었다. 아이도 있고, 경력도 있고, 육아와 일을 병행하는 워킹맘들을. 그들에게 나는 쉬이 맘을 열었고, 메신저로 오가는 대화 속에 혼자 친하다고 기대를 했었다. 그러나 내 기대와 다른 반응 속에 나는 점점 작아져만 갔다. 내가 그렇게 매력 없는 사람인가? 인성에 문제가 있나? 왜 이렇게 친해지기가 어려운 거지?

가족과 친구에게 얘기하니, 가족들은 내가 너무 많은 기대를 하고 있으며, 내 직급과 나이가 편할 수는 없다고 했고, 친구는 혹시 내가 모르는 나의 뒷담들이 나쁘게 퍼져있는 건 아닌지 의심했다.

그렇다. 회사에서는 사람이 아무리 좋다 한들 일을 너무 못한다거나, 미루는 등의 업무 민폐자들과 가깝게 지내기를 꺼려한다.

내가 그런 사람인가? 누구한테 폐 끼치면서 일한 적은 없는 것 같은데. 일을 못하지도 않은 것 같은데. 외부의 평가는 다른 건가? 부서 특성상 서로 욕하고 말고 할 자리도 아닌데. 관리자도 아닌데 욕할 일이 있을 리가 없다,고 생각했으나, 스무 살 넘은 조카가 이렇게 말했다.

"원래 왕따는 본인이 왜 왕따인지 몰라~"

나는 은따가 되었다. 밥을 먹을 사람이 없고, 점심에 산책 한 번 나갈 사람이 없었다. 내가 먹자고 하지 않는 이상, 먼저 먹자고 하는 이도 없다. 이렇게 지내는 직원은 사실 많다. 젊은 직원들은 자리에서 밥을 간단히 먹고 개인 생활을 즐긴다. 그런데 나는 왜 이렇게 맘이 어려울까?

아들이 유치원에서 친구들에게 서운한 얘기를 종종 한다. 6살 난 아들은 좋아하고 친해지고 싶은 친구가 두어 명 있는데, 이들이 자신과 놀아주지 않을 때 매우 속상해한다. 아들과 엄마가 사회생활을 하는 모양새가 꼭 같다. 이런 것도 유전이란 것인가? 이런 아들한테 뭐라고 조언해 줄까?
노력도 해봤다. 먼저 밥을 먹자고도 해보고, 밥도 사 줘 보고, 워킹맘들을 모아도 봤지만, 더 이상 이어지진 않았다. 나이가 비슷하면 관심사가 달랐고, 신입의 위치에서 얘기하기엔 상황이 너무 달랐다. 결국 나는 혼자 밥을 먹고, 운동하고, 글을 쓰는 걸로 관계의 빈자리를 채웠다. 관계 때문에 글에 매진하지 못했던 적도 있는데, 관계가 없으니 글을 쓰기에는 참 좋은 조건이었다.

급작스러운 아빠의 간암 소식

고비는 다른 일로도 찾아왔다. 소화가 잘 안된다던 아빠는 2020년 겨울 병원을 찾기 시작했고, 동네 병원에서 소견서를 받아 2021년 2월 간암 판정을 받았다. 아무도 예상하지 못했고, 내 인생에 부모님의 죽음이 이렇게 가까이 있을 거라곤 생각지 못했다. 위궤양도 심한 상태여서 항암치료를 할 수 없다고 했고, 병원 치료를 거부한 아빠는 판정 후 4개월 만에 세상과 작별했다.

인생 최대의 큰일을 치르고 돌아오니, 전화를 다시 받을 엄두가 나지 않았다. 마음이 아직 아물지 않은 상태에서 고객을 잘 대할 수 있을까, 자신이 없었다. 때마침 이메일 상담팀에 공석이 생겨 지원했다. 피하고 싶던 관리자가 있는 자리였지만, 차라리 그게 나을 정도로 상담은 그만하고 싶었다. 그리고 이메일 상담팀이 아닌 문구 판매의 제휴몰 담당으로 옮기게 되었다.

버티면 레벨업!

 다른 사람은 모르겠고, 나의 경우에 말이다. 일을 하는 데 있어 잘 해내지 못한다는 생각이 들 때, 이걸 내가 하는 게 맞나 싶고, 일을 그만둬야 하나 싶고, 다른 팀원에게 민폐가 아닌가, 등의 생각으로 곤혹을 치른다. 그리고 대게는 그때에 피하는 방법을 택했다. 휴직을 하든지, 다른 사람에게 맡긴다든지. 그럴 수만 있다면, 그렇게 했다.

 재미있게도 그 순간은 피해도, 다시 비슷한 상황은 되돌아온다는 것이다. 넘어야 할 산은 낮은 턱에서 중간 턱으로, 중간 턱에서 꼭대기로 계속해서 생긴다. 그만큼 마음이 단단해진다는 걸 알면서도, 그다지 잘 이겨내진 못했다.

 상담직 3년 차. 인바운드를 2년 가까이하고, 아빠의 죽음이라는 일생일대의 큰일을 겪고 나니, 다시 전화를 받는 일이 버거워 다른 보직을 신청해 문구류 제휴몰 부서로 옮겼다. 비수기였고, 처음 맡는 거라 그다지 크지 않은 몰로 배정받아 2~3개월 편히 지냈다. 바로 이

거지! 하며 룰루랄라 지냈으나, 이쪽 일은 6개월씩 로테이션으로 담당을 바꾸었다.

6개월이 한참 되기도 전, 휴직자의 복직과, 휴직을 들어가는 팀원이 맞물려 예정보다 빠른 로테이션을 맞았다. 급한 휴가를 쓰는 일이 다른 팀원보다 많았던 나는, 매니저님이 넌지시 인바운드, 배송관리, 1번 몰, 2번 몰이 휴가가 자유롭다고 추천했다. 그리고 그 일은 내가 하기 싫던 1순위의 업무기도 했다. 인바운드는 다시 갈 자신이 없어 거절했고, 그 후 배정받은 일은 배.송.관.리. 였다. 때마침 연말연시 다이어리, 스티커, 필기구의 시즌이었다. 바로, 극.성.수.기!

문구류는 우리 회사의 주력이 아니다. 그래서인지 시스템이 세상에, 수작업이었다. 만여 개가 넘는 주문 건 중 3일 이상, 2일 이상의 기준으로 지연된 주문 건을 엑셀로 추출해, 수동으로 건건이! 문자를 보내고, 취소를 하고, 다시 문자를 보내고를 반복했다. 여기에 출고가 안 되는 모든 업체에 일일이! 전화해 언제 내보내냐고 재촉하는 일도 내 몫이었다. 또 업체에서 요청하는 게시판의 글들을 각 담당자에게 배분하는 일도 또한 내 일이었다. 아, 이건 뭐야, 노가다잖아!!!!!

점심 먹을 시간도 사치였고, 퇴근시간은 늦어져만 갔

다. 끊어두었던 필라테스는 무용지물이 되었고, 가운데 손가락 중지 가운데 뼈가 아파 왔고, 위가 아프다고 호소했다. 몸이 망가져도 성과가 좋으면 위안이 되는데, 몸은 몸대로 성과는 성과대로 우울했다. 관리 누락 건이 자꾸만 나왔고, 항의하는 고객이 생겼으며, 고스란히 나의 업무 과실이 되었다.

이 아날로그적 시스템을 모두 통탄하고 있기에 대단히 뭐라는 사람은 없었다. 다들 거쳐 온 일이고, 겪어본 마음이니까. 다만, 꼼꼼하지 않은 내 일 처리 때문에 누군가 곤혹을 치르는 모습을 보는 건, 내가 직접 혼나는 일보다도 마음이 괴로웠다.

나는 기도했다. 이 일로 휴직한다고 하긴 14년 차 직장인에게 좀 면이 안 서고, 남편의 직장이 지방으로 가기를. 마침 남편의 이직 시즌이어서 이력서를 넣고 있던 참이었다. 그중 내가 바랐던 서울과 그리 멀지 않은 지방에 남편이 덜컥 합격했다. 하나님의 뜻이구나, 감동이 밀려왔다.

하지만 웬걸, 남편이 바라던 곳도 합격하였다. 그곳은 인천이었다. 아뿔싸, 인천은 멀기는 해도 출퇴근은 가능했다. 오, 하나님은 누구 편이신가요! 사택 주는 곳으로 가자는 나의 강력한 요구에 처음엔 지방으로 가기로 얘기가 됐으나, 입사 거절에도 불구하고 재차 연락하여 그 생각 변함없냐는 물음에, 또 지방에서 준다던 집의 위치가 원하던 조건과 조금 어긋나는 부분이 생기면서, 나의 바람과는 달리 인천으로 확정되었다. 아, 남편 편이셨군요. 또르르르.

 인천으로 가면 출퇴근은 어떻게 하지? 매장으로 옮겨야 하나? 거긴 주말 근무가 있는데? 저녁 근무도 있는데? 그러나저러나 집도 나가지 않아 이사도 못 한 상태이기에 출근은 어쩔 수 없이 계속됐다. 그렇게 참고 버틴 사이 극성수기가 끝을 바라보고 있었다는 게 다행이라면 다행이었다. 관리 건수가 눈에 띄게 줄었고, 조금 많아져도 12, 1월 초에 비할 건 아니었다. 이 시기를 지나고 나니 다음 일이 수월했다. 나름의 방법도 생겼고, 손도 빨라졌다. 중요한 건 실수도 줄었다. 그게 정말 뿌듯했다. 탁월한 일은 아니지만 익숙해지긴 했다.

 도망가지 않는 법을 알려주신 것이, 이번 기도의 응답인가 보다. 다 지나간다. 다 잘할 수는 없다. 잘하지 못하는 것을 인정하는 것이 더 대단하다. 남들에게 조금 욕을 먹어도 괜찮다. 지나고 나면 익숙해지고, 그걸 버티고 해냈다는 자기 인정도 생긴다.(but, 천직은 아니다. 계속은 못 할 것 같다. 그저 존.버.다.)

서점 고객센터의 흔한 질문들

1. 핫이슈는 기다릴 수 없어!
 서점 고객센터에 일하다 보니 요즘 가장 핫한 이슈를 빨리 접할 수 있게 된다. 복귀하자마자 가장 많이 받았던 전화는 펭수 다이어리와 달력이었는데, 독점 판매이다 보니 문의 전화가 몰렸던 기억이 있다. 그때 난 펭수의 펭짜도 모르는 펭맹이었건만, 고객들의 빗발치는 문의로 유튜브를 찾아보기도 하고 곧 공영방송에 출연하여 엄청난 인기를 누리는 걸 볼 수 있기도 했다.

 한창 많이 받았던 문의를 정리해 보면 이렇다.

① 재난지원금/문화누리카드
 코로나의 이슈로 많은 질문을 받은 건 단연 재난지원금이다. 정부에서 지원돼서 사용 가능한 지원금은 문화누리카드 한 종류다. 지역화폐는 소상공인을 위한 지원금으로 사용할 수 없으며, 재난지원금은 대부분 불가하나, 서울시는 도서 구매가 가능하다.

② 교과서
 교재 시즌이 되면 교과서 문의로 바쁜데, 초등 국정교

과서와 중고등 검인정 교과서가 판매처도 다르고, 재고 확인 후에 매장을 방문해야 하다 보니 문의가 많다. 매 학기의 시작마다 교과서 재고 문의로 문전성시를 이룬다. 2월 말~3월 중순, 8월 말~9월 중순이 가장 바쁜 성수기다.

③ 유명인의 에세이

아이돌 그룹이 앨범을 내든 책을 내든 고객센터는 긴장하게 되는데, 이번에는 방탄이다! 보그 재팬에 단독 인터뷰도 실린 모양이라 불이 나게 전화가 왔으나 이미 한정 수량 소진되었음을 알려야 했다. 일본에서도 한정 수량 제작된 것으로 품절되었고, 재입고 예정도 없다는데 팬들은 재입고 여부를 계속해서 물었다. 노랫말에 일러스트를 붙여 만든 에세이집도 출간되었다. 하루 만에 예약 판매 수량 모두 소진! 대단한 인기를 실감했고, 방탄의 팬 조카를 위해 나도 합류하여 예약 구매를 해보았다. 수량 마감 소식에 뭔가 해낸 기분이었다!

④ 존 볼턴 회고록

백악관 전 국가 보안 보좌관 졸 볼턴의 회고록이 화제다. 뉴스에서도 연일 방송되고 있고 그 날것의 비판을 원문으로라도 보고 싶은 분들이 많은 듯하다. 번역본은 아직 출간되지 않았고, 원래는 해외 주문 도서였으나 높은 인기에 지금은 선주문받아 예약판매로 진행중이다. 특히 할아버님들이 많이 찾는다.

⑤ 최서원(최순실) 옥중 회오기

처음에는 최서원의 '나는 누구인가'가 입고가 되었는지, 언제부터 판매되는지 문의가 많아 도대체 누구지? 하고 내용을 살펴보았더니, 최순실의 옥중일기였다. 출간 전에는 입고되었는지, 언제 입고가 되는지로 문의가 많았는데 현재는 정상 판매 중이라 문의가 줄었다.

⑥ 조국의 시간

처음 발간되었을 때, 주문 수량 대비 출판사 입고가 늦어져 문의량이 폭발했었다. 연일 방송에서도 소개되어, 정치에 관심이 많은 시아버님이 주문을 부탁하셨던 책이기도 하다. 당시에는 목소리만 듣고도 '조국' 문의구나! 짐작할 수 있을 정도로 문의가 쇄도했다.

내가 인바운드 할 당시의 핫한 문의였고, 지금은 또 다른 핫한 이슈로 떠들썩하겠으나, 인바운드를 떠난 상태로 현재의 이슈는 논외다. 당시의 화제가 되는 책들은 전화로도 꼭 문의한다. 온라인으로는 도저히 안 될 때, 이슈 도서들은 대부분 온라인으로는 세월아 네월아 기다려야 하니, 전화를 안 하고는 못 배긴다. 특히 어르신들은 전화가 훨씬 편하시다 보니, 전화 문의는 필수다.

예언컨대, 미래에 없어지지 않을 직업으로 나는 상담사를 꼽고 싶다. 로봇으로, 데이터로, 모바일로 안 되는 것들은 계속해서 있을 거고, 누군가는 이들의 상황을 알려줘야만 한다.

2. 도대체 언제 배송되나요?

① 발송 자체가 지연되었거나 배송사 지연의 경우

이런 경우는 의외로 간단하다. 당사의 귀책이 확실하므로 보상해 주든지, 반품해 주든지, 해결책을 제시한다. 하지만 책은 당장 받아야 하고 반품도 보상도 싫다는 항의 고객도 더러 있다.

보상은 쥐꼬리고, 책은 필요하기에 무조건 당장 배송! 을 외치지만, 그게 어디 내가 해주고 싶다고 되는가. 재발송을 하려고 해도 재고도 확인해야 하고, 배송 물량이 많을 때는 다시 출고해 봐야 배송기간만 더 늦어지는 꼴이다. 가까운 매장에 있으면 그나마 다행인 거고, 당사의 귀책이 있을 경우, 출고 가능하다면 퀵 배송을 해주는 경우도 있기는 하다.

 그래도 책이 꼭, 급히, 필요하다면 가까운 매장을 이용하여 직접 구매하거나, 물량이 많은 특정 기간에는 피해서 주문하는 게 가장 안전하고 빠르다.

② 배송일 소요되는 책과 함께 주문한 경우

 재고가 있는 책들은 보통 하루면 배송이 가능하지만, 재고 없는 책들의 경우 출판사에 주문해서 받아보기까지 2~3일, 출판사 입고가 늦어질 경우 더 오래 걸리기도 한다. 또 장기간 늦어질 경우 자동 품절 처리가 되기도 하는데, 자동 품절을 원치 않는다면 당사로 전화해 '품절 제외' 신청을 할 수도 있다. (상품에 품절 제외 버튼이 있었으면 좋겠다는 생각을 하긴 한다. 서로 번거롭게 얼굴 붉히지 않도록. 지금은 생겼을 지도 모르겠다. 퇴사 후에는 확인해 보지 않았다.)

 여러 도서를 함께 주문하면 늦게 출고되는 도서를 기준으로 준비되기 때문에, 전체적인 배송일이 늦어진다. 도서 한 권에 표기되는 발송일은 그 책 한 권에 대한 정보이므로, 여러 권을 주문하는 경우에는 결제하기 전에 꼭 배송일정을 확인해야 한다.

 왜 빨리 출고되는 도서에 맞추지 않고, 늦게 출고되는 도서에 맞추는지에 의문이 들지도 모른다. 하지만 고객도 제각각이라, 따로 보낸다고 화내는 고객들도 많다. 회사 입장에서도 큰 차이가 아니라면 묶어 보내는 것이 배송비 부분에서는 합리적일 것이다.

여하튼 당일배송은 당일배송끼리, 익일 배송 도서는 익일 배송끼리 주문해야 원하는 날짜에 받아볼수 있는데, 그 부분을 놓치는 고객들이 많다. 특히아이들 교재거나, 회사나 학교 등에서 준비하는 도서들이면 항의가 커지고야 만다. 날짜를 맞춰야 하는 도서들은 미리 한 번 더 확인을 하는 것이 좋다.

③ 다른 주소지로 배송된 경우

본인이 주소를 잘못 기재했거나, 택배사에서 다른 주소지로 잘못 배송했거나, 당사 '최근 배송지' 자동 설정으로 인해 원치 않는 주소로 간 경우다. 전부 반송처리밖에는 해결책이 없다.

④ 업체 발송 도서인 경우

보통 세트 도서나 유·아동 전집류에 해당하는데, 예상 출고일은 업체 사정에 따라 유동적으로 변하고, 배송사도 업체에서 별도로 진행하기 때문에 당사에서도 건건이 확인할 수가 없고, 고객 문의가 있을 때 알아보는 수밖에 없다.

⑤ 당일배송이 안된 경우

　당일배송 가능이라고 되어있는데 안 간 경우도 있다. 당일배송 불가 지역이 있기 때문에 꼭 주소지를 넣고 당일배송이 되는지 확인해야 한다. 수도권 지역은 11시, 수도권 외 지역은 11시 30분까지 결제 완료가 되어야 하며, 수도권의 경우 10시부터 11시에 2권 이상 주문할 경우는 일반 배송으로 변경된다. 또한 일요일은 배송업체와 물류 모두 휴일이므로 당일배송의 적용이 안 된다.

　어쨌거나 배송 지연에 대한 매뉴얼은 있지만, 어디 매뉴얼대로 되는가! 매뉴얼대로 말하면 앵무새처럼 같은 말만 한다고 화내기 일쑤다. '뭔가 다른 방법이 있겠지' 하고 전화까지 한 걸 테니, 빠른 진행은 어렵다고 해봐야, 서로 마음만 불편하다. 고객 말은 끝까지 듣고, (실상은 불가하지만, 말이라도) 최대한 노력해 보겠다고 하는 방법이 가장 클레임이 덜 걸리는 방법이다. 물론 이렇게 해도 항의할 사람은 다 한다는 게 문제지만.

3. 주문하라고 해놓고, 품절이라뇨!

배송 항의가 잦아들 때쯤 찾아오는 항의는 품절이다. 여태까지 기다렸는데 맘대로 품절이냐, 당장 책을 구해내라!!

'저희도 출판사에 주문을 넣고 기다리는 입장이라... 교재는 주문량이 많아서 출판사 수급이 원활하지 않습니다..

매장에도 재고가 없네요... 또르르르르르'

책이 품절이라는데 낸들 다른 방도가 있겠는가! 다만 고지가 좀 더 미리 되었음 하는 바람이 있지만, 출판사에서 먼저 품절 고지를 하지 않는 한, 품절인지는 주문을 넣어봐야 알 수 있는 건 변명 아닌 변명이다. 그나마 국내 도서는 확인이라도 되는데, 해외 도서는 코로나로 인해 확인이 더 어려워졌다.

보통 기업에서 대량이나 고가의 원서들을 구매하는데, 업체의 정산이 지난 다음 월에 품절되는 경우에는 한바탕 난리가 난다.

4. 내가 찾는 그 책이 있나요?

신입 때 가장 많이 받는 문의다. 제일 쉽고 간단하기

때문에 신입 3개월간은 재고 문의의 콜만 풀어준다. 신입이 끝나고 상담사들끼리 하루의 평안을 기원할 때면, 이렇게 얘기하곤 한다.

"오늘도 재고 길만 걸으세요.~"

그런 쉬운 문의건만, 화가 많은 상담사인 나는 고객과 왕왕 기 싸움을 했다. 물론 내가 프로답지 못해서 그렇다.

고객이 전예원 출판사에서 나온 『십이야』를 찾았다. 사실 『십이야』를 알지 못했고, 나는 검색창에 '시비야'를 검색했다. 검색 결과가 나올 리 없었다. 고객이 한심해하며 귀찮은 듯 '그런 것도 모르냐는' 말투를 하자, 나는 더 이상 재차 묻지 않고 손에 불이 나게 검색을 했다. '셰익스피어, 시공사' '전예원, 셰익스피어' 등 나올만한 검색어를 모두 뒤졌으나 비슷한 제목도 없었다.

이번에는 『바냐 외삼촌』을 찾았다. 나는 '바냐의 삼촌'을 검색했다. 검색 결과에는 없었지만, 연관 상품으로 「체호프 단편선」이 보였다. 휴, 다행히 재고 확인을 할 수 있었다.

어찌어찌 안내를 마치고 아무래도 첫 번째 문의한 '

시비야'가 맘에 걸렸다. 천천히 검색해보니 전예원 출판사의 『십이야』가 있었다.

아뿔싸, 어떡하지? 다시 안내해야 할까? 아! 매장 재고 확인이었지! 다행인지 불행인지 고객이 방문하려던 매장에는 재고가 없었다. 다시 안내하지 않아도 되겠구나, 안도의 숨을 쉬었다.

기 싸움을 하지 않더라도 난해한 재고 문의도 있다. 바로 해외 도서다. 교재 시즌에 외서 문의가 많은데, 요즘 학생들은 발음이 너무 좋다.

"죄송하지만 스펠링으로 부탁드립니다."

멋들어지게 안내하고 싶지만, 못 알아들을 경우엔 멋쩍게 스펠링을 요청하기도 한다. 하지만 외서는 같은 도서도 발행처가 달라 제목만으로 확인하기가 어렵다. 그나마 영문은 조금이라도 알아듣기라도 하지만, 스페인어, 일어, 중국어 도서를 찾는 날이면 가슴이 쿵쿵 뛴다.

또, 해외 도서는 인기도서가 아니라면 정보도 턱없이 부족해서 고객이 원하는 답을 정확하게 해 줄 수 없는 때도 많다. 어쨌든 해외 도서는 ISBN이라는 도서 고유 바코드를 알려주는 게 가장 빠르고 정확하다. 무엇보다도 서로가 덜 민망하다.^^

<u>고객센터 상담원이 되어 생긴 습관들</u>

상담원으로 지내며 바뀐 몇 가지 풍경들이 있다.

1. 날씨 걱정

 코로나, 태풍 같은 천재지변은 배송에 차질이 생기는 1순위다. 계속 비가 오거나, 눈이 오거나, 코로나로 이동이 제한되어 온라인 주문량이 급증하거나, 모두 약속한 날짜에 배송해 주긴 어려운 실정이다.

 항공사에서 일했던 한 동료가 말했다. 날씨 걱정은 그때도 했었지만, 안전에 관한 문제이기 때문에 "비행기 못 뜹니다."라고 하면 끝이란다. 그런데 배송은 '무조건 무조건' 그 날짜를 지키라고 아우성친다.

 언제부터 우리의 배송 문화가 이렇게도 빨라진 건지, 기다림의 미덕은 더 이상 기대하기 힘든 건지. 새벽 배송까지 생긴 요즘에는 하루 이틀 배송이 늦는 건 체감으로는 일주일 이상 늦는 기분이니 말해 뭐하겠는가.

 날씨는 맑아야 한다. 비도 눈도 많이 오지는 말아야 한다. 자나 깨나 날씨 걱정.

2. 선 사과 후 양해

처음 상담할 때는 워낙 비슷한 요청들이 오고 보니, 해결책 제시를 먼저 했다. 책을 바꿔주겠다, 환불을 해주겠다 등 섣부른 제안을 한 거다. 그러나 고객이 원하는 건 따로 있었다.

해결책도 중요하지만, 우선은 사과를 원했던 것. 당연하게 이 사건에 대해 이야기하는 것은 고객이 원하는 바가 아니었다.

지금은 매우 공손하고 죄송한 목소리로 "불편 드려 정말 죄송합니다"로 시작한다. 집에서도 곧잘 '미안하지만~'으로 시작하는 나의 대화법에 아들도 요즘엔 이렇게 말한다.

"미안하지만, 이것 좀 치워줄래?"

3. 지각없는 삶

전화를 받기 전, 마실 물, 커피, 확인할 사항들을 미리 체크하고 전쟁에 임할 준비를 한다. 지각 따윈 없으며, 20분 전 출근을 목표로 하고, 성수기엔 더 일찍 가야겠다 마음먹고 있다. 9시 넘어서도 종종 출근한 적이 있었던 나로서는 놀랄만한 변화다. 긴장감 최고의 업무 덕에 성실녀로 거듭나고 있다.

4. 마음에 걸리는 일은 그냥 넘기지 말기

 고객센터에서 일하면서 확실히 깨달은 바가 있다. 처리해 놓고 뭔가 모르게 마음에 걸린다, 이상하게 찜찜한데? 이게 맞는 건가? 싶은 건 반드시 내가 안내했던 내용이 틀렸고, 큰 항의로 돌아온다는 것. 그래서 마음에 걸리는 일이 있으면 꼭 다시 체크를 한다. 먼저 안내하지 않고, 확인하고 다시 안내드리겠다고 종료한다.

 이런 습관은 그냥 만들어지지 않았다. 일련의 사건들은 나를 교육시키고 변화시켰다.

 분홍색 파우치를 받고 싶었던 한 고객은 해당 이벤트 금액과 도서에 맞춰 구매했는데, 사은품 노출이 안 되어 문의했다. 같은 분홍색 파우치이지만, 다른 모양의 파우치가 출판사 이벤트와 당사 MD의 이벤트에 각각 걸려 있었다. 물론 수령 조건도 달랐다.

 나는 '분홍색'만 듣고는 고객이 선택한 파우치를 받을 것이라고 당당히 말했다. 모두가 예견할 수 있듯, 고객이 말한 분홍 파우치는 다른 파우치였다. 결국 다른 상담원을 통해 욕설을 퍼부으며 다시 문의가 왔고, 내가 잘못 안내했으니, 내가 다시 상담해 주라는 매니저님의 지시가 있었다.

 떨리는 목소리로 당사 부담 반품으로 어렵사리 마

무리되어 가던 중, 받은 분홍 파우치는 그냥 쓰고 싶다는 어이없는 답변을 받았다.

도대체 그 험한 말들은 왜 쏟아낸 것인가!

"사은품만 받으실 수는 없습니다." 라고 대응하며 당당히 마무리된 사건이다.

다른 사연도 있다. 신입 때의 흑역사는 셀 수 없을 정도로 많지만, 이건 정말 기억에 크게 남는다.

홈페이지를 통해 교환 신청을 했던 고객은 마찬가지로 홈페이지를 통해 교환 정보를 보고 싶었다. 하지만 아무 정보가 없다고 했다. 자주 듣던 문의는 아니어서, 나는 몇 번을 반복해서 물어봤고, 고객은 짜증이 날 대로 나 있는 상태였다. 해당 부분 확인하고 연락하겠노라고 했더니, 본인도 바쁘니 문자로 달라고 했다.

지원 담당자에게 클레임 접수를 하고, 이 건은 직접 로그인해야 알 수 있다며 고객 동의 후 로그인을 해 보겠다고 했다. "바쁘다고 전화하지 말라고 했는데, 어떡하죠?" 어영부영하는 사이 지원 담당은 로그인을 시도했고, 나는 황급히 메시지를 보냈다.

"고객님의 오류건 확인 위해 임시 비밀번호 발급하여 확인해 보겠습니다. 양해 부탁드립니다. "

시스템 오류로 확인되었고, 고객께 문자 안내도 드렸다. 다 마무리된 줄 알았다.

그러나...

만만치 않았던 고객은 매니저도 아닌 개인정보 담당자를 소환했고, 개인정보 동의 없이 사용한 부분에 대한 문서를 요구했으며, 소송을 걸 거라고 했다.

개인정보는 워낙 민감한 부분이어서 고객 동의 없이 로그인하는 것은 상식적으로 해서는 안 되는 실수인데, 빨리 해결하려는 마음, 지원 주임과의 소통 부족, 화내는 고객에게 다시 전화 걸어 대화를 시도하는 일에 대한 두려움 등이 일을 크게 만들어 버렸다.

이 일은 전사적 이슈가 되었고, 나는 개별적 교육을 받았으며, 상담원이 임시 비번을 발급하여 로그인하는 일은 이제는 고객 동의가 있어도 할 수 없게 되었다. 그리고 다행스럽게도 그 고객은 아직까지 소송은 걸지 않았다.

고객이 귀찮아해도, 화를 내도, 내가 확인해야 할 건 끝까지 확인해야 한다는 것.

고객의 항의는 상담원을 교육시킨다.

5. 매뉴얼 꼼꼼히 읽기

매뉴얼을 잘 보지 않은 타입, 제품설명서를 꼼꼼히 읽지 않는 타입인데, 고객센터에 일하면서는 귀찮지만 주의 사항, 안내 사항을 꼭 확인하는 버릇이 생겼다. 특히 온라인 주문 시에는 상세 이미지, 옵션명, 조건 사항을 눈이 빠지게 체크한다. 사은품은 눈에 잘 띄게 올려도, 조건 사항은 워낙 작게 기재되어 있어 고객이 놓칠 때가 많은 걸 몸소 경험했기 때문이다.

상담 초기에는 고객이 당당하게 사은품을 요구할 때면, 회사가 누락했다고 생각하고 클레임 접수를 했고, 포인트 적립 조건, 무료배송 조건 등 홈페이지에 기재되어 있는 내용도 지원 담당에게 물었다. 당연히 클레임은 삭제되고, 지원에게는 피드백이 왔다.

"다 홈페이지에 기재되어 있습니다."

자세히~~ 보면 다 있기는 했다. 눈에 익자 자세히 안 봐도 다 보였다. 하지만 온라인 주문에 익숙지 않은 고객들은 나처럼 쓴 물을 삼키며 손해를 볼 수도 있다. 안내가 되어 있는 내용들은 어쨌든, 안타깝지만 도울 수가 없다. 그걸 알기에 구매자가 될 때도 매뉴얼은 꼼꼼히 읽어보는 편이다.

6. 브런치에 깨알 기록

 브런치에 이렇게 많은 글을 쓰게 될 줄 몰랐다. 급변하는 상황과 다양한 고객들, 마음의 부침들이 글을 쓰게 하는 원동력이 되어주었다. 출퇴근길이면 그날의 일들을 죽죽 적어 내렸다. 구독자가 하나, 둘 생기고, '좋아요'가 눌리고, 어떨 때는 댓글도 달리는 걸 보면서 신기해하며 계속 글을 썼다. 또 어떤 글은 조회수가 7만 건 가까이 되었고, 어떤 글은 공유가 58개나 되는 걸 보며, 내 글이 공감되는 글인가? 하는 자신감도 조금 생겼다.

 글을 쓰고 싶지만 꾸준히 이어가지 못한 이유가 '게으름' 때문이라고만 생각했는데, 할 수 있는 얘기가 없었던 걸까, 생각도 들었다. 하고 싶은 이야기가 고객센터에는 넘쳐난다. 오늘도 나는 글을 쓴다.

제 2 장 두 번째 커리어, 어쩌다 자영업자

이 지역에는 독서 선생님이 없다더니

 인천으로 이사와 서울로 출퇴근을 하던 시절, 퇴근하고 집에 오면 8시가 훌쩍 넘어 있었다. 어린아이들이 학원을 전전하는 걸 보면서 안타까워했던 적이 있었는데, 출퇴근 시간이 길어지다 보니 자연히 아이가 다닐 학원을 찾는 나였다.

 7살이 되었으니 책과 글을 접할 나이가 됐다 싶어 독서 논술 방문수업을 찾아보았다. 결혼 전 따두었던 독서지도사 자격증 브랜드로 문의했는데, 전화를 준다더니 기다려도 기다려도 연락이 오지 않았다.

 보통은 학원을 다닌다고 하면 바로바로 연락이 오는 게 당연한데 왜 이렇게 연락이 없지? 궁금한 내가 먼저 전화를 다시 해 물어보았다. 그런데 웬걸, 내가 사는 지역에 올 선생님이 없다는 답이었다.

 우리 동네 아파트도 꽤 단지가 크고, 근처 초등학교가 두 개나 있고, 건너편에도 대단지 아파트가 있는데 왜 선생님이 없지? 내가 이 지역 선생님이 되면 이 근방 아파트들을 독점하는 것인가! 부푼 꿈을 안고 퇴사를 결심하게 되는 작은 불씨가 되었다. 나에게는 남은 휴직 기간이 있었다. 일단은 안전하게 휴직하고 내 아이부터 가르쳐보자 싶었다.

사실 회사의 일이 버거웠다. 당시 내 일은 제휴몰 배송 담당이었는데, 엑셀 노가다라고 해도 무방할 만큼, 배송 안 된 업체들을 뽑아내고, 메시지를 보내고, 전화를 하는 그야말로 자동이 하나도 없는 수작업이었다. 더군다나 나는 꼼꼼함이 요구되는 일보다는 관계하기를 좋아하는 적성이었기 때문에, 이 자리를 어떻게 하면 벗어날 수 있을까 궁리하기 바빴다. 그래도 책임감은 있었기에 제일 바쁜 연말연시까지는 버티고 휴직하겠노라고 팀장님께 알렸다. 이 부서는 퇴사자가 많았기에 팀장님은 휴직을 당연히 반기지 않았다. 마음 뜬 나도 더는 미룰 수가 없었다.

우여곡절 끝에 드디어 휴직했고 본격적인 수업을 위한 공부를 하기 시작했다. 내 아이만 가르치려고 해도 가만히 앉아있지 못하는 아들 때문에 버럭하기 일쑤였다. 그래도 함께 공부하는 동료가 있고, 어려움에 공감하고 안내해 줄 선배가 있었다. 무엇보다도 공부하고 아이들을 가르치면서, 나 역시도 성장하는 성취감이 있었다. 나는 이제 휴직이 아닌 퇴직을 하겠노라고 남편을 설득했다.

"이 많은 아파트에 선생님이 나 하나래!!"

"이 지역은 내가 다 먹는 거야!!"

<u>열심히 수업하는데 남는 돈은 100여 만 원</u>

부푼 꿈을 안고 시작한 자영업자의 길은 역시나 만만치 않았다. 이 지역은 학구열이 높은 곳이 아니었다. 대부분 공부방 같은 싸고 매일 갈 수 있는 학원을 원했고, 그 학원들로 짜여진 스케줄 덕분에 일주일에 고작 한 번 하는 독서교육에 10만 원이 훌쩍 넘는 교육비를 지출할 가정이 많지 않았다.

내 자녀들도 아직 미취학이었기 때문에 홍보도 여의찮았다. 그래도 시도를 안 한 건 아니었는데 괜히 엄마들과의 관계만 어색해져 다시는 권유하지 않게 되었다.

홈클럽으로 그룹 수업을 하고 싶었지만, 수요가 없어서 주로 방문수업을 했다. 많게는 20건 가까이했는데, 이렇게 열심히 해도 150 벌면 잘 한 달에 속했다. 학부모들이 내는 원비에서 본사에 교재비를 지불하고, 차비를 제하고, 아이들 마음을 녹일 간식이나 선물 따위의 비용을 제하면 150도 못 벌었는지도 모르겠다. 또 학생들을 현혹할 필기구를 그 당시 열심히 샀고, 나 스스로도 배우느냐 들인 비용도 적잖이 되었다.

돈도 돈이지만 시간도 없었다. 양질의 수업을 위해 주에 한 번은 선생님들과 모여 스터디를 했고, 수업을 위해 수업 없는 시간을 꼬박 들여 준비해야 했다. 다양한 학년을 경험하고 싶어 중학생까지 수업을 받았더니, 6살부터 중학교 3학년까지의 학년이 고루 분배되었고, 한 명의 수업을 위해 몇 시간의 수업 준비 시간을 가져야 하는 비효율의 극치를 달리고 있었다.

그래도 수업 경험이 쌓이다 보니 준비시간은 줄었고, 겹치는 학년도 생겼고, 형제자매의 집들이 생기기도 해서 이동시간이 줄기는 했다. 그런대로 할 만했으나, 육아를 위해 퇴사를 한 엄마의 입장에서, 그다지 아이들의 케어가 되는 직종으로 옮겼다고 말하기는 어려웠다. 오히려 수업 준비는 해야 하는데, 옆에서 아이들이 수업하는 학생들을 위해 준비한 선물이나 필기구를 건드리면 극도로 날이 서는 예민함만 커져 갔다.

방문 학습자들이 어려운 이유

 방문수업을 하면서 특히 어려웠던 점은 원활한 수업이 힘든 친구들이 많았다는 것이다. 평균적인 친구들은 보통 학원이나 팀 수업으로 간다. 아주 어린 친구들이거나, 수준이 현저히 떨어지거나, 책을 정말 싫어하는데 엄마의 걱정이 앞서거나, 말하기를 극도로 힘들어하는 등 어딘가 한 부분이 부족한 친구들이 방문수업을 선택하는 경우가 많았다.

 아직 화자 되는 학생 중 하나는 막 중학생이 된 친구였는데, 수업 태도가 심각하게 좋지 않았다. 수업 시작부터 끝까지 무표정으로 일관했고, 책도 제대로 읽어오지 않았으며, 뭘 물어봐도 대답 듣기가 어려웠다. 인내심의 한계가 와 수업을 하지 않아도 된다고 한때도 여러 번이었다.
 이 학생은 4년 넘게 하는 동안 5명 이상의 선생을 거쳐 갔다. 퇴사를 하기도 하고 수업을 줄이기도 하는 등 선생님들의 여러 상황으로 바뀐 것이었지만, 다들 그 학생에 대해서는 고개를 절레절레 흔들었다. 그럼에도 엄마의 의지가 있기도 하고, 방문수업 아니고서는 이 학생이 적응하기 어려울 것이라는 선생님들의 의견이었다. 내가 그만둔 후로도 다른 선생님께 인계되었는데, 그 선생님도 수업료를 환불해 주기까지 했다며 고전 중이다.

바쁜 일정들로 인해 책을 읽어오지 않는 학생들도 부지기수다. 처음에는 수업을 하지 않고 동네 한 바퀴를 돌며 글쓰기를 진행하기도 하고, 다음 수업으로 미루기도 했는데 그렇게 하다 보니 엄마들의 만족이 떨어졌다. 어떻게 해서든 책을 읽게 하는 것이 부모님들의 심정이었기에, 어느 정도 경력이 쌓인 후로는 독후활동은 못하더라도 아이들을 앉혀놓고 읽기를 끝마치고, 간단한 요약과 느낀 점을 이야기하도록 하고 수업을 마무리했다.

집중력이 약하고 책읽기 같은 정적인 활동에 흥미가 없는 미취학 아이들과는 외부활동과 더불어 책에 나오는 내용을 체화할 수 있도록 도왔다. 어벤져스라며 쓰레기 줍기 활동도 하고, 과자집도 만들고, 댄스타임도 갖고, 최대한 독서를 통해 즐거움을 주고자 했더니, 학부모도 아이도 좋아했는데, 초등으로 올라가서도 같은 방법으로 하면 안 될 것 같아 독서와 글쓰기를 훈련하는 방향으로 바꾸고자 했더니, 적응이 안 된 아이는 틱 증세를 보이며 힘들어했다.

남는 시간은 없고, 남는 돈도 없고

미취학은 만들기나 부가 교구 혹은 독서에 더해 어떤 활동을 곁들일까 고민하느냐, 중학생은 꽤나 두껍고 어려워진 책들을 읽고 학생들이 먹기 좋게 잘근잘근 씹어주느냐, 쪽잠을 자며 준비할 때가 많았다.

거기에 더해 학생들의 스케줄에 맞추느냐 밤 10시까지도 수업을 하고 와야 했다. 내 아이들 학교 가고 학원 갈 시간에는 다른 집 아이들도 학교 가고 학원 가는 시간이었고, 내 아이가 집에 왔을 때야 학생들 수업이 시작되었으니, 내 아이들을 만날 시간은 턱없이 줄었다.

돈은 돈대로 벌지 못하고, 아이들 육아도 되질 않으니, 이쯤에서는 내가 왜 회사를 호기롭게 그만두었을까 후회가 되기도 했다.

더군다나 퇴사 1년 후, 회사에서는 대대적인 구조조정이 있어 희망퇴직을 받고 있다는 소식이 들렸다. 82년 생부터 10년 차 이상이 대상이고, 30개월 월급과 학자금 1,000만 원을 지급한다고 했다. 나는 대상자였고, 1년만 버텼으면 2배의 퇴직금을 받고 나올 수 있었다는 것이다. 퇴사를 말리던 남편에게는 함구해야겠다고 다짐하고, 쓰린 마음을 뒤로하고 어차피 늦게 퇴직한다

한들 내가 일한 1년 치 연봉이 더해지는 것일 뿐이라
며 애써 위로하고 잊었다. 되돌릴 수도 없는 일이고,
나에게 길은 하나뿐이다 싶었다.

그러던 중, 또 하나의 소식을 듣게 되었다.

제3장 세 번째 커리어, 학교도서관 사서

뜻밖에 연결된 학교도서관

교회의 한 청년이 주변에서 수학 공부방을 하고 있었는데, 수학 문제의 지문 분석이 안 되는 중학교 3학년 학생들에게 독서 수업을 권면하며 연결해 주었다. 수업에 자신감이 차오르던 시기여서 늦은 시기였지만 아이들을 받아서 가르쳤다.

그러던 중 새로운 소식을 접하게 되었다. 인천에 사서를 대거 뽑는데 인력이 부족하다는 것이었다.! 그렇다. 나는 원래 문헌정보과를 졸업한 정사서 2급 자격증의 소유자였다!

하지만 경력이 없고 교사 자격증도 없었기에 한 달에 50만 원 여 주는 봉사자로 이력서를 넣었다. 시간이 짧아서 독서지도사와 병행하면 200만 원 이상의 월급은 보장될 것이었다. 독서지도사로 150벌던 시절이라, 200만 되어도 감사했다!

나름 봉사자에는 충분한 이력이라 의심치 않으며 자신 있게 지원했고, 내 아이가 다니는 초등학교에 면접을 보러 오라는 연락을 받았다. 역시, 연락이 오는군! 하며 기세등등했다.

면접 질문은 이랬다.

"지원 동기는 무엇인가요?"

"어떤 프로그램을 하고 싶으신가요?"

"학부모 혹은 교사와 분쟁이 일어난다면 어떻게 해결하실 건가요?

다른 질문은 그렇다 쳐도, 봉사자가 무슨 프로그램을 하길 원할까 싶었다. 나는 시키는 대로 잘하겠고 환경 관리에 힘쓰겠다는 수동적인 답변을 하고 나왔고, 학교 도서관에 대한 기초정보도, 준비도 없었던 나는 봉사자 면접에도 떨어지는 쓴맛을 맛보았다.

그 면접에서 합격한 사람은 아직 사서직무를 배우고 있는 교육원생으로 사서 자격증이 없는 선생님이었다. 같이 독서지도사 활동을 하고 있던 선생님을 면접장에서 만나 놀랍기도 반갑기도 하여 차도 같이 했었는데, 당연히 내가 합격하리라고 생각했던 우리는, 교육생 선생님의 합격에 내 문제가 뭐였을까 곱씹게 되었다. (나중에 교육생 선생님이 일하는 도서관에 가보니 자격증만 없었지 손재주가 남달랐다. 아이들을 위한 친절은 기본이고 센스 넘치는 이벤트가 곳곳에 기획되고 있었다. 자격증만 들이밀며 내가 될 거라는 오만, 이었다니. 부끄러움은 어렵지 않게 내 몫으로 돌아왔다.)

사서의 길을 포기해야 할까 낙담하기도 했지만, 계속 올라오는 교육청 공고들을 보며 다음번 면접에는 적극적인 모습을 보이리라, 칼을 갈았다.

그러나 서류도 붙지 않는 경우가 허다했다. 사서로는 힘들까 싶어 한글을 가르치는 기초학력 교사로도 원서를 넣고, 주 3회 일하는 차로 40분 거리의 바다 근처 학교에도 원서를 넣었다. 일단 어디라도 붙고 보자는 심정이었다. 다행히 둘 다 서류합격이었고, 한글 교사는 지원자가 단독이라 면접 없이 합격이라고 했다.

그럼에도 사서의 미련을 떨치지 못하고 40여 분을 달려 면접을 보러 갔다. 면접자는 두 명이었고, 첫 번째 면접 때와는 달리, 간절함을 담아 덜덜 떨며 학교도서관에 대해 공부했던 내용을 읊었다. 흐뭇한 미소로 끄덕이는 면접관을 보며 이곳은 합격할 것 같다는 희망이 보였다.

역시나 합격이었다. 하지만 출퇴근 길이 멀어 걱정되었다. 교육청 공고를 습관처럼 살폈고, 훨씬 가까운 지역의 학교에서 4시간 근무에 주휴수당까지 주는, 나에게 딱 맞는 학교를 발견했다. 안되면 할 수 없고, 라는 마음으로 후다닥 지원서를 냈는데 다음 날 아침 바로 연락이 왔다. 여러모로 조건이 이곳이 나았기에 빠른 면접 일정을 잡고, 합격하여 출근하게 되었다.

도서관에 오는 아이들

그리하여 중학교 도서관에서 독서프로그램 강사로 일하게 되었다. 도서관 사서이지만, 여러 행정적 상황으로 강사로 불렸다. 아이들이 책에 관심 가질 수 있도록 매달 때에 맞는 이벤트를 열고, 도서부 동아리 수업을 하고, 장서 점검을 하는 일 등이 나의 주된 일이었다.

도서관에 있다 보면 매번 오는 친구들이 오고, 읽는 친구들만 읽는다. 읽는 친구들이야 책을 좋아하는 취미가 있겠지만, 도서관을 방앗간 삼아 오는 참새들은 마음이 아픈 친구들이 많다. 반에서 어울리기 힘들어 도서관으로 도피하는지 모른다.

도서관 선생님들에게 유독 말을 많이 걸고 친해지려고 하는 학생들이 있는데, 그 아이들 말을 받아주다 보면 뒤에서 교과 선생님이 귀뜸을 해주신다.

거짓말을 습관처럼 하는 아이도 있고, 가정 상황이 좋지 않아 학교를 잘 안 나오는 친구도 있고, 여러 상황의 아이들이 있었다. 선생님의 귀띔 덕분에 반은 흘려 듣기도 하고, 나름의 대처가 가능했다. 아마 혼자 처음 시작했다면 아이들 기나긴 얘기 들어주느냐 하루가 다 갔을지도 모른다.

그럼에도 마음 아픈 아이들, 갈 곳 없는 아이들이 도서관에 찾아올 때면 학창 시절의 내가 떠올라 더 마음이 쓰였다.

마음의 묶임을 풀어놓을 수 없던 때, 잘하고 싶지만 어떻게 해야 할지 모를 때, 잘할 수 있을까? 나에 대한 믿음이 없었을 때, 그럴 때 믿어주는 한 사람, 응원해 주는 한 사람만으로 다시 잘해볼 힘이 생겼지 않았던가. 때마다 한 사람의 응원자가 있었다는 것이 지금까지 힘이 되기에, 도서관의 사서 선생님은 그런 역할을 해줘야 한다고 믿고 있다.

상담실은 대놓고 상담이라 부담스러울 것이고, 학과 과정은 어렵기만 하고, 그저 편하게 혼자면 혼자인 대로, 함께이면 함께인 대로 어색하지 않은 도서관이 아이들도 편한 장소일 거다. 도서관 선생님들도 매번 바뀌다 보니 아이들에 대한 선입견도 비교적 없을 테고 말이다. 도서관은 옛말 그대로 영혼의 휴식처가 맞지 싶다.

도서관의 사서들을 부러워하는 사람들이 은근히 많다.

책을 보며 우아하게 일할 수 있는 직종이라고 생각하기 때문이다. 사서 선생님들은 하나같이 '사서 고생한다'고 입을 모으는 줄도 모르고.

생각보다 사서 선생님들이 한가하진 않다. 급여도 박봉이라 울부짖는 소리도 여럿이다. 수업 준비도 해야 하고, 책 정리도 해야 하고, 행사 준비도 해야 하고, 환경관리도 해야 하고, 책이 훼손되면 고치기도 해야 하고, 이런저런 자잘한 일들이 여기저기 펼쳐진다. 백조 같은 직업이 사서라는 것을 아는 이가 많지 않아 우리끼리 커뮤니티에서 한숨지을 뿐이지만.

그래도, 한가한 도서관보다는 많은 사람이 찾았으면 좋겠다. 사탕발림의 이벤트도 열고, 기분 좋게 하는 간식도 주고, 좋은 책은 추천해 주면서, 서로가 서로에게 좋은 에너지를 줄 수 있는 공간이 되었으면 좋겠다. 그것이 책과 글과 사람을 담은 공간이 주는 힘이 아닐까.

<u>나랑 우정 팔찌 할래?</u>

10월의 이벤트는 '우정 팔찌 만들기'를 진행했다. 한

글날 기념으로 '한글 과거시험'도 진행 중이다. 필사도 하고, 반별 독서 대항전도 하고 있다. 뭐라도 아이들이 관심 갖고, 책 읽기에 진심이 되길 바라는 마음으로 이벤트를 진행 중이다.

이벤트는 다른 사서 선생님들의 블로그를 보기도 하고, 도서관 사서 선생님들을 위한 홈페이지를 참고한다. 그중에서 우리 학교 아이들에게 맞는 행사를 고르고, 예산에 맞추어, 요렇게 저렇게 각색해 본다.

이벤트의 내용도 중요하지만, 무엇보다도 선물이 좋아야 아이들이 움직인다. 마음에 드는 선물이나 정보를 입수하면 각 반에 소문이 나 삽시간에 우르르 아이들이 몰려와 혼비백산이 되는 경험을 하고 난 후론, 맛있는 간식 찾고자 쿠팡을 하루 종일 헤맨다.

이번 우정 팔찌는 마니또 활동 후에 주려고 계획한 것이다. 친구 모르게 도움 3가지를 주고, 친구를 위한 책을 대출하여서 선물하면 되는데, 아이들은 친구와 함께 왔고, 그 자리에서 서로에서 주었던 도움을 적었으며, 눈앞에 보이는 책을 대충 대출하여 선물했다. 그럼에도 "그래, 잘했다" 하며 수용해 주었다.

선물을 주는 데 인색해서는 안 된다. 도서관은 그런 곳이다.

이 이벤트는 사실 도서부 아이들에게 회의적이었다. 할 게 너무 많아서 아이들이 안 할 것 같단 이유였고, 우정 팔찌 만들기를 힘들어하는 아이들도 더러 있었다. 30분은 족히 걸리는 수작업이라 그럴 만도 했다. 좋아할 것 같은 나의 감성은 옛 감성이던가! 그렇다. 아이들은 귀찮은 일은 어지간해서 하지 않았다. 안 되겠다 간식 선물을 하나 더 주자.

그렇게 시작된 이벤트는 예상 밖의 선전으로 하루 만에 마감되었다. 아이들이 우정 팔찌 어떻게 받는 거냐며 줄을 지어, 짝을 찌어 왔다. 이렇게 이벤트의 성공 여부는 가늠하기가 어렵다니. 아이들의 입소문이 그 무엇보다도 행사의 성사를 좌우한다니.

다음 달에는 또 어떤 행사로 여중생들을 꼬셔볼까나.

저 좀 봐주실래요!

"선생님, 저 한문 수행 망했어요."

도서관 문을 밀며 들어오는 아이의 첫마디다. 요즘 들어 부쩍 찾아오는 친구다. 때마다 출근 도장을 찍는 아이들이 있는데, 어떤 주기인지는 모르겠지만 매번 아이들이 바뀐다. 보여줄 만한 걸 다 보여주고 나면 오지 않는 것인지, 한창 오다가 안 오는 건 무슨 이유인지 모르겠다.

근래에 출근 도장을 찍는 친구는, 어제는 학원에서 똥 냄새가 심하다는 화장실 이야기를 했고, 오늘은 그 학원의 원장 선생님이 이상하다는 이야기를 늘어놓았다. 함께 오는 친구와는 듀엣으로 춤을 선보이기도 했다.

그녀는 친구들이 있는 자리로 가지 않고 내가 하는 일들에 의견을 보태고 자신과 이야기하기를 원했다. 그녀는 꿈이 제과 제빵사이며, 카페 창업을 목표로 하고 있다고 한다. 어울린다고 호응하자, 옳다구나 창업하면 커피를 무료로 주겠단다. 예약해 두었다. 훗날 나를 기억해 준다면 영광일 테지 하며. 요즘 도서관의 참새 1호다.

도서관의 터줏대감도 있다. 바로 도서부 동아리 부장님. 부장답게 매일 같이 도서관에 출근하여 할 일이 있는지, 아이들이 잘하고 있는지를 살핀다. 그녀는 중국 연기자를 좋아했는데, 내가 잘생겼다고 호응해 주었더니 그 후론 부쩍 수다도 늘었다.

나도 도서부 아이들이 오면 일거리를 주기 위해 하나

씩을 준비한다. 12월에는 축제도 예정되어 있어 어떤 이벤트를 할까? 동아리 시간에 회의도 하고, 그러고 나서도 계속 궁리 중이다. 그중 책표지로 종이가방 만드는 키트가 있어 예시로 만들어 보려는 중이었다. 마침 부장이 있었고, 자신이 손재주가 있다며 해보겠다고 자신만만했다.

그녀는 성실했지만 안타깝게도 부주의했고 끝맺음이 좋지 못했다. 아마도 자신감이 없지 싶었다. 하지만 이제 중학생 아닌가. 훈련하면 나아질 터였다. 그리고 부장을 맡았으니, 맡은 바를 다 할 수 있도록 훈련시키고 싶었다. 고등학교 시절 합창단 동아리에서 차기 부장이 되고도 친구들을 따라 공부하겠다고 탈퇴했던, 선배들에게 그래서 미움을 샀던, 책임감 없었던 나의 학창 시절이 생각났기 때문이다.

역시나 그녀는 테이프로 대~충 쇼핑백을 만들다 시간이 되자 마무리하지 못하고 도서관을 떠났다. 수정과 보완과 마무리는 내 몫이었지만, 뭐 어떠랴.

내일도 출근 도장을 찍는 병아리들이 도서관에 오겠지. 그녀들의 이야기에 귀 기울이는 것도 많은 주의와 노력이 필요하다. 내 에너지가 충분하지 않으면 그녀의 이야기가 저 멀리 도망가 버리고 말 테니, 오늘 에너지

충전을 위해 무엇으로 보충할까나.

<u>원어스를 아세요?</u>

 아이들은 점심 식단이 입맛에 안 맞으면 끼니를 거른
다. 식단이 뭔들 아예 안 먹는 친구도 있다. 집이 가
까워 집에 가서 먹는다고 했다. 대신 입에 맞는 과
자를 가져와 먹고, 나눈다. 처음에는 걱정했으나, 일
상이 되니 그런가 보다 하고 있다.
 먹을 것이 흔해진 아이들에게는 건강보다는 본인의
입맛이 제일 중요한 모양이다. '건강에 안 좋다'는
말은 그저 잔소리일 뿐, 아주매는 입을 다문다.
 도서부 아이들 및 그녀들의 몇몇 친구들은 종종 컴퓨
터 앞에 모여 '아이돌 월드컵'을 한다. 임의로 선택된
아이돌의 사진을 선택하며 최종까지 가는 게임이다. 아
이들은 세븐틴, 투바투(투모로우바이투게더), 원어스...
각 보이그룹의 팬들인데, 자신의 남자친구인 양 일거수
일투족을 조잘대지만, 내 아이돌의 마지막은 방탄소
년단까지라는 게 문제다. 방탄소년단도 워낙에 유명
해져서 알게 된 거지, 이제는 스무 살 된 조카가 중
학교 시절 팬이었을 때도 이름 참 특이하다며, 콘서

트 티켓을 예매해 주는 정도가 다였다.

내 학창 시절에도 나는 팬이라고 할 만큼 좋아하는 연예인이 없었다. HOT, 젝스키스, 서태지와 아이들 시절에 우리 반에도 점심 방송에서 자신들의 오빠 음악이 나오면 눈물을 흘리며 좋아하는 친구들이 있었지만, 나는 현실의 남자가 아니면 관심이 없었다.

좋은 노래가 있으면 그때 좋을 뿐이었고, 멋있는 장면을 찍으면 그때 멋있을 뿐이었다. 편지를 쓰고, 선물을 주고, 잠 못 이루는 연예인은 마흔 넘게 살면서 단 한 번도 없었다.

그러니, 아이들이 내 새끼라며 그룹 이름도 익히기 어려운 나에게 그룹 안의 멤버 이름을 수차례 알려준들 귀에 박히질 않았다. 매번 물어보기도 미안하기도 해서, 더는 아이들의 아이돌 이야기에 끼지도 않는다. 아주매는 또 입을 다문다.

나는 요즘 '미스터션샤인'의 이병헌과 김태리가 좋던데. 너희들과 나의 거리는 어느 만큼일까? 나는 너희들의 세계가 낯설기만 한데, 너희는 어떠니?

가을 운동회

　일하고 있는 학교의 스포츠 한마당 시즌으로 도서관이 한산하다. 우리 때의 운동회를 요즘에는 '스포츠 한마당'이라고 하나보다. 반별 퍼레이드 경연으로 시간마다 연습이 한창인데, 매년 하는 학교 전통이란다. 그러면서 공부할 시간은 없다며, 협동심은커녕 경쟁심만 부추기는 쓸데없는 전통이라고 볼멘소리를 하는 도서관 친구가 있었다.

　일진에 읽었던 온다 리쿠의 『밤의 피크닉』이 떠올랐다. 학교 전체의 학생들이 밤새 걷는 '야간 보행제'의 전통을 소재로 청소년들의 꿈과 우정, 갈등을 그린 작품이다. '1학년, 2학년 때는 도대체 이런 무지막지한 행사를 하는 이유가 뭐람' 하며 투덜대지만, 3학년이 되면 다시는 이 행사를 하지 못할 것이란 생각에 아쉬워한다는 '야간보행제'.

　지금 이 학교의 퍼레이드 전통이 '야간보행제'와 같겠지. 경쟁심으로 가득 찼던 그 어린 마음조차도 그리워진단 걸 아이는 아직 알 턱이 없다. 그저 마흔을 넘긴 아주매만 빙긋이 미소 지을 뿐이다. 학생 때가 아니고서야 이렇게 순수하게 무언가를 느끼고 즐길 수 있는 시간도 없단다, 하며.

오늘은 아들의 운동회도 있었다. 라떼의 운동회를 생각하며 달리기라도 같이 할까 운동화를 신어야 하나 고민했더랬다. 하지만 요즘의 운동회는 외주 업체에서 일시적으로 이루어지는 행사일 뿐이었다. 그마저도 시끄럽다는 주변 아파트의 민원을 받아야만 했다고 한다.

운동회를 위해 각 종목의 주자들이 매일 같이 연습하고 준비하면서 실전의 날을 기대하는 마음, 응원마저도 함께 맞춰 청군 백군을 목청껏 외치는 단결심, 갈고닦은 실력을 맘껏 발휘하는 성취감이나 혹은 잘하지 못한 아쉬운 마음까지 느낄 수 있는 운동회의 백미는 느낄 수가 없었다.

아주매 아저씨들은 라떼의 시절을 떠올리며 아쉬워할 뿐이었는데, 아이들은 그래도 좋았겠지. 아주매의 꼰대 같은 생각일 뿐이겠지.

라디오 같은 도서관

도서관이 어떤 매체라고 한다면 '라디오'가 아닐지 생각해 보았다. 어느 사연이든 보낼 수 있고, 상품도 받으며, 언제든 틀어도 나오는 편안한 매체가 라디오라면, 학교에서 '도서관'이라는 공간이 그럴 것이다.

도서관에 오기만 해도 반겨주고, 아주 쉬운 이벤트에 참여만 해도 간식 선물을 주며, 자주 올수록 당첨될 확률도 높다는 것.

이곳에 앉아 있으면 학교 수업에 참여하지 않아도, 공개수업이 있는지, 과학전시회가 있는지, 운동회가 열리는지, 어느 과목의 수행평가가 있는지 알 수 있다. 궁금해하지 않아도 아이들이 알려주거나, 공부하거나, 책을 찾기 때문이다.

즐겨 찾아주는 학생들과 선생님들이 있고, 그들에게 편안함을 제공하는 일은 참 매력적이다. 아이들 좋아하는 간식은 뭘까, 이번 달은 어떤 책을 추천해 줄까, 어떤 이벤트를 하면 아이들이 재미있어할까 궁리하기도 하고, 뭐 애들이 안 좋아해도 다음번에 다른 걸 해보면 그만이니, 부담 없이 이것저것 시도해 본다.

동네 카페에서 봤던 쿠폰도 만들어 보고, 추억의 뽑기로 도서 대출량도 올려보고, 책 읽는 친구들 사진도 전시하고, 여기저기서 보고 지나쳤던 이벤트들을 나의 서툰 솜씨로 요리조리 진행해 보고, 반응이 좋으면 얼마나 뿌듯한지 모른다.

회사를 그만두면 큰일이 날 줄 알았지만, 방문 독서 선생님을 거쳐 지금의 일에 이르기까지 우연을 따라왔더니 제법 적성에 맞는 듯하다. 또 다른 흥미로운 일을 찾아 떠날지 모르지만, 적어도 지금은 어딘가를 떠나는 일이 어렵게 느껴지진 않는다.

 이번에 신간 도서로 들였던 책 중에 『나는 왜 눈치가 보이고 신경이 쓰일까?』라는 청소년용 심리서를 봐보았다. 아이들의 고민이 무엇일까 궁금해서다. 친구 문제, 이성 문제, 가족 문제에 대한 고민에 대한 이야기로 구성되어 있었는데, 청소년기에 가장 큰 관심은 진로가 아닐 수 없다. 청소년 때뿐이랴, 엄마가 되어서도 계속되는 진로의 고민은 지금도 삶의 큰 비중을 차지한다.
 이 책에서는 진로 선택에서는 꿈을 꾸는 것보다 중요한 것이 우연을 준비하는 것이라고 말한다. 진로상담 분야의 권위자 크롬볼츠는 이를 '계획된 우연 *(Planned happenstance)*'이라고 불렀는데, 예상 못 한 우연에도 적절하게 반응한다면 자신의 미래를 좋은 방향으로 이끌 수 있다는 것이다.
 생각해 보면 내 계획에 의해 학교에 입학하고, 취업하고, 사람을 만나는 것보다, 예상치 못한 사람을 만나고, 상황을 접하는 경우가 훨씬 많았다. 오히려 나의 경우에는, 내가 세운 꿈과 계획은 이루어지지 않았다. 친구

따라 가고 싶었던 유학도 여러 상황이 맞지 않아 세 번의 비자 탈락으로 물거품이 되었고, 허황하게 꿈 꿨던 대학도 내 실력과는 맞지 않았다. 다 실패하고 눈을 돌렸던 편입은 오히려 독을 품고 준비했더니 3 개월 만에 원하는 학교와 학과에 합격했고, 회사를 그만두고 주어지는 상황과 만남에 최선을 다했더니, 나름의 만족한 길을 걷고 있다.

책에서 언급되었던 것처럼 아이들에게 가르쳐야 할 것은 명사로서의 '직업'이 아니라, 자신에게 흥미가 생기는 우연을 발견했을 때 반응할 수 있는 호기심, 인내심, 유연성, 낙관성을 기르는 게 먼저인 것이다.

그런 점에서 나 역시도 좀 더 유연하게, 인내심을 갖고, 호기심 어린 눈으로, 낙관적으로 계속 나아가 봐야겠다. 뭐든 1년 차 때가 재미있던 터라, 아직은 도서관 일이 참 재미지다. 또 어떤 일이 다가올지 모르니, 우연을 계획해 보며.

사서가 할 일

11월은 이 달의 행사와 희망 도서를 접수하여 올해

112

세 번째로 들일 도서들을 선정하고, 12월 행사와 축제를 준비하며 동아리 수업을 진행하면 된다. 내 계약조건에 있는 일들이다.

8개월여 일하고 보니, 물론 정기적이고 눈에 보이는 행사나 수업이 중요하기도 하지만, 종이 땡 치면 도서관으로 달려오는 단골고객에게 어떤 따스함과 경험을 줄 수 있을까, 가 새로운 고민으로 자리 잡았다.

지금 교회에서는 다니엘 기도회가 절찬리 진행 중이다. 그곳에서 들은 간증이 이 세상의 '땅 끝'에 있는 사람에게 사랑을 베풀라는 것이었다. 간증의 주인공은 일본 제국의 신사참배 강요에 끝까지 맞서 투쟁한 목사이자 항일 독립운동가인 고 손양원 목사님의 두 아들을 죽인 가해자의 아들이었다. 손 목사님은 가해자의 아들을 용서하고 양자로 들였고 전도사 과정을 밟게 했다고 한다. 원수를 사랑으로 갚았더니 손 목사님의 뜻을 받들어 세계의 끝 나라에서 한센병을 돌보는 사역을 하고 있다고 했다. 간증을 들으며 지금의 자리에서 땅 끝은 어디일지 생각해 보았다. 나는 너무 내 밥그릇에만, 내 안위만 괜찮으면 되지, 하는 생각으로 안일하게 살아가고 있지 않은가. 나는 아이들에게 무엇을 주려고 하고 있는가.

도서관에 자주 오는 참새들 중에는 덩치가 크고, 두 눈을 훌쩍 가리도록 곱실거리는 앞머리를 늘어뜨리고, 한쪽 눈은 사시인 아이 A가 있다. 도서부원 한 명과 친해서 데스크에서 자주 이야기하는 걸 보고 듣고 했었지만, 내가 직접 대화하기는 쉽지 않았다. 뭐라고 말해야 할지 조심스러웠다.

오늘은 친한 도서부원이 없었고, 나는 다른 도서관 참새와 이야기하는 중이었다. 옆으로 슬쩍 끼어든 그 아이를 반기자 기쁘게 대화에 참여했다. 이번 행사 중 하나는 미니토론이었다. '일요일에는 늦잠을 자도 된다.'에 대한 각자의 찬반 의견을 적으면 간식을 주는 이벤트인데, 자신은 그 어느 쪽에도 속하지 않는단다. 주말이면 밤을 꼴딱 새우고 낮에 자는 패턴이기 때문에 늦잠이 아니란다. 그러면서 빈속에 카페인 과다 복용한 경험담도 들려주었다.

"몬스터 3개를 마시고 잠이 안 와서 시험 진짜 잘 봤어요!"
"몬스터가 뭐야?"

"카페인 음료요! 그거 마시면 잠이 안 와요."

옆에 있던 또 다른 아이도 거들며 포카리스웨트와 박카스를 섞어 마셔도 진짜 잠이 안 온다는데, 본인은 안 먹히고 잠만 잘 잤다고 했다. 카페인에 이어 부모님이 권해서 함께 마셔본 음주 경험담까지 이어졌다. 어디까지 경험해 보았나 배틀하듯이 이야기하던 아이들 중 A는 호기심이 많아 술도 종류별로 마셔봤지만 쓰기만 하고 맛이 없다고 했다. 담배도 궁금해서 관련 책을 보고 계속 그리고 있다고 했다.

"그러다가 담배 태우겠는데?"

라고, 은근히 떠봤더니, 심장 수술을 했기 때문에 피우는 즉시 죽는 난다.

"아... 아팠었구나...."

A양은 친구가 많아 보이진 않았다. 내가 아는 그녀의 친구는 도서부원 친구 두 명이었다. 한 명과는 주로 게임 이야기와 좋아하는 연예인 이야기를 했다. 도서부원 친구가 한 명 더 있었는데, 그 친구와는 거친 말이 오가며 언성이 높아지기도 했다. 한동안 같이 다니지 않

아 싸웠나 보다 했는데, 화해했는지 다시 독서동아리에서 열띤 토론을 하는 모습을 다시 볼 수 있었다. 그 외에 친구가 없나보다 하는 건, 쉬는 시간에 잠이 들었는데, 친구들이 아무도 깨워주지 않고 다른 교실로 가버려서 수업 하나를 늦었다고 이야기를 했기 때문이었다. 아무도 안 깨워주었냐는 내 놀란 반응에 원래 그랬다는 듯 무던하게 "네" 할 뿐이었다. 어딘가 모르게 마음이 쓰렸다. 저 친구가 기댈 곳은 어디일까.

나의 '땅끝'은 지금의 이 자리에서부터라는 마음으로 집에서 미떼 코코아 한 통을 가져왔다. 점심을 거르고 오는 도서관 참새들에게 한 잔씩 타줄까 해서다. 한 명은 씹는 거가 더 좋다 해서 교장선생님께 받은 간식을 주었고, 다른 참새 A양이 도서관 문밖으로 보이자 반갑게 손을 흔들어줬다.

마침 '독서왕 클래스' 이벤트를 시작한 때였다. 반 대항전으로 책 대출 후 리뷰를 써내면 '행운의 뽑기' 1회권이 주어진다. 매일 오기도 하고 책도 빌려 가는 A양에게 행운의 뽑기를 권했다. '어차피 해도 저는 이런 거 당첨 안 돼요'라며 손사래를 치던 그녀가 '독서왕 클래스'에 참여하기 위해 어제 책을 3권 빌려 갔고, 미선지를 제출하러 오던 길이었다. 행운의 뽑기 1회권이 그녀에게 주어져 하나를 뽑았는데, 그녀의 눈이 휘둥그레지면서

"선생님!!!!!!!!!!!!!!!!!!" 한다.

"왜 왜 무슨 일이야!!!!"

"저......1등이에요!!!!!!!!!!!!!!!!!!!!!!!!!!!!!!!!!!!!!!!   어떻게 저에게 이런 일이!!!!!!!!!!!!!!!!!!!!!!"

"어머나 세상에!!!!!!!!!!!!!!!!!! 축하해!!!!!!!!!!!!! 거봐, 열심히 참여하면 이런 날이 온다니깐~~!!!! 축하해!!!"

그녀는 여태껏 보지 못한 신나는 얼굴로 책을 세 권 더 빌려 갔다. 책 빌릴 맛이 난다나? '땅 끝 기도' 덕분이었을까? 어떻게 때마침 그녀에게 1등이 돌아갈 수 있었을까? 나조차도 신기했고, 하나님이 A양을 참 사랑하시는구나 싶었다.

도서관의 역할은 책 읽을 맛, 책 빌릴 맛, 편안한 맛이면 딱 좋지 않을까. 그게 나의 일이고 '땅 끝'이

고 말이다.

담기는 아이들

"선생님이 아이가 있다고요? 대박~~~30대 초반인 줄 알았어요!!!!!!"

후훗. 아직 죽지 않았군. 하며 흐뭇한 사이, B양이 웃기는 소리라는 듯 대응한다.

"야, 이렇게 자애로운 얼굴을 보면 몰라? 자녀가 있을 얼굴이지!!"

3학년 아이들의 시험 기간이었고, 오늘은 그 마지막 날이다. 첫날부터 밤새고 공부했는데 30점 맞았다는 참새 (내신 준비를 선생님이 체크해 준 걸 보지 않고 인강 들었다는 아이에겐 할말하않..), 레전드로 어려웠다는 아이들 소리, 정답 맞히는 소리들로 오늘도 여전히 도서관이 북적인다. 그런데 웬일인지, 시험이 끝나고 학교를 떠나 홀홀 놀아야 할 아이들이 아직도 도서관에 남아있다. 알고 보니 영어 수행평가가 남아서 과제하고 있는 아이들이었다.

성적과 공부에 예민한 도서부 아이 B가 눈물을 글썽이며 들어온다. 어제는 두 과목 100점에 영어는 그래도 올라 81점이라고 좋아했는데, 오늘은 망쳤나? 들어보니 오늘도 잘 본 것 같은데, 어제 오른 줄 알았던 영어점수가 79점이란다. 학기 초에 학원을 옮겼던 이 친구는 빡빡한 일정과 자비 없는 선생님의 압박, 함께할 친구 없는 외로움에 도서관에 와서 눈물을 훔치곤 하던 아이였다. 매시간 도서관 봉사를 위해 와주던 아이가 학원을 옮기고부터는 여유가 없었다. 와도 학원 숙제를 늘 들고 다녔다.

그런 그녀의 히스토리를 알기에, "그래도 학원 옮겨서 힘들어한 보람이 있네~100점 이 몇 개야, 성적 많이 올랐네!" 하며 잘한 점수가 기억나도록 도왔다. 그녀도 곧 눈물을 닦으며, "맞아요 안 떨어진 게 어디예요~" 하며 기운을 냈다.

그러던 중 학교 행사의 각종 부장과 반장으로 두각을 나타내는 H양이 우렁차게, "선생님 저 태어나서 이런 점수는 처음 받아봐요, 58점이에요!!!"라며 어이없어했다. 그녀는 시험 전 코로나로 일주일 동안 학교에 나오지 못했는데, 그 때 진도가 많이 나갔다고 한다. 그 때문이라며 점수에 대한 핑계를 내가 대주었고, 의 외로 그 아인 핑계 따윈 대지 않았다. 나에게도 이런 일이 있구나 하는 황당한 기운만 있을 뿐이었다.

100점이 여럿이고도 침울한 아이, 58점을 맞고도 훌훌 털어버리는 아이, 열심히 하면서도 자신 없는 아이, 잘하든 못하든 개의치 않고 주도적이고 협조적인 아이, 무엇이 이런 차이를 만들었을까? 세 아이를 키우는 엄마로서 궁금하지 않을 수 없었다.

퇴근해야 하는데 영어 수행 검사를 맡으러 간 아이들이 오지 않아 기다리고 있다. 세 명의 아이들과 남아 이런저런 수다를 떨면서 B양은 또 눈물을 글썽인다. MBTI 중 F형 엄마의 스킨십 이야기 중이었는데, 자신은 어렸을 적에도 엄마가 자신에게 뽀뽀를 해 준 기억이 없다는 이야기, 79점 맞은 점수에 1점만 있으면 80점인데 아쉽다고 한 이야기 등을 쏟아내며 감정적 지지를 못 받았음에 슬퍼하고 있었다.

나의 학창 시절이 떠올랐다.
오랜만에 시험을 잘 봐 한껏 자랑하고 싶어 점수를 말

하면 엄마는 "다른 친구들은 몇 점인데?"를 물었다. 얼마나 서운한 마음인지 누구보다 잘 알았다.

그래서 관심이 필요한 이 아이들이 자꾸 내 눈에 담기나 보다. 관심받고 싶어 하던 나였기에, 관심을 주어야 하는 선생님으로, 엄마로 살게 되면서, 그런 아이들을 보살필 수 있는 기회를 내게 주셨나 보다.

"고마워, 사랑해, 미안해, 잘했어, 수고했어, 고생했어, 잘했어, 널 믿어, 한번 해봐, 할 수 있어, 끝까지 해봐."

어렸을 적 듣고 싶었던 이야기를 아이들에게 해주며 나 역시도 위로가 되고 치유가 된다.

책 추천 전문가?

북소믈리에 시절부터 사서로 지내는 지금까지 책을 추천해달라는 요청을 많이 받는다. 그도 그럴것이 책을 골라주는 '소믈리에'라고 자청하고, 도서관의 책을 관리하는 선생님이라는데 누구한테 물어보겠는가?

그런데 생각보다 책을 편협하게 읽기도 하고, 베스트

셀러 이외의 책들은 다 알고 있기도 어렵다. 더군다나 내가 재미있는 책이 다른 사람에게도 재미있으리란 법이 없다. 성별도, 학력도, 취향도 다 다른 우리들 아니던가.

북소플리에로 일하던 시절, 열의가 넘치던 그 시절에는 읽었던 신간들을 스크랩하고 추천도 했는데, 나의 짧은 필력과 지식들이 아쉬워 전문가라고 말하기가 부끄러웠다. 누군가 "책 정말 많이 아시겠어요~" 라고 말하면, 실제로는 다 읽지도 못하고 표지와 보도자료만 보고 쓰는 것이라는 등 하며 변명하기에 바빴다.

학교도서관에 일하면서는 좀 다르고 싶었다. 학생들이 물어보면 괜찮은 책을 추천해 주고 싶었고, 선생님들에게 요즘 인기 많은 책들, 숨어있는 보석 같은 책들, 수업에 필요한 책들은 내가 먼저 제공해 주고 싶었다.

올해도 어김없이 희망 도서를 받고 각종 추천 도서 리스트를 보며 수서를 하고 있는데, 한 선생님이 급하게 들어와 물어봤다.

"요즘 핫한 책이 뭐에요?"

학기 초라 이런 저런 일로 바빴던 나는 올해 베스트셀러를 미처 확인하지 못했다며 변명을 늘어놓기에 바빴다.

"아 네, 워낙 바쁘시죠~"

하며 돌아서는 선생님을 보며, 나는 또 전문가답지 못했구나, 독자 대상이 누구인지, 누구에게 필요한 책을 찾는 것인지 질문을 좁혀가며 물어볼걸, 도대체 내 바쁜 일정을 뭣 하러 이야기했는지...후회했다.

 다음번에는 적절한 질문으로, 딱 맞는 책을 추천드려볼테다. 라고 마음 먹었는데, 반납하러 오신 선생님이 꽂혀 있던 『어느 날 내가 죽었습니다』가 재미있냐고 묻는 두 번째 기회가 왔다. 나도 읽어보려고 빌려놓았던 책이었으나 아직 읽지는 못했다. 그렇게 이야기하면 될 일은 나는 또 얼버무렸다.

"아이들이 재미있게 읽는 것 같더라고요~"

휴, 아는 척을 말자 말어.

<u>이 일이 참 좋다</u>

 4월 처음 학교에서 일하게 되었을 때는, 점심시간에 아이들이 몰려와도 모니터만 보고 있었다. 아이들이 말

123

을 걸지 못하도록 일부러 더 그때 일을 하기도 했다.

아이들이 있을 때 일하다 보니 관심 많은 도서부 친구는 내가 어떤 간식을 사는지, 어떤 이벤트를 준비하는지 등의 계획에 참여했다. 처음에는 아이들의 의견에 많이 기대었다. 하지만 도서부 아이의 의견이 일반 학생과 같지는 않았고, 어느 정도 적응된 후에는 봉사하는 아이들이 없을 때 준비하고 있다. 사공이 많으면 할 일도 제대로 안되었기 때문에..

그러다 보니, 점심시간에 적극적으로 아이들과 소통하게 되었다. 11월의 나는, 자주 오는 참새들의 이름은 거의 알고, 취미나 고민 등 개인적인 일들도 제법 꿰고 있으며, 도서관 봉사 학생들과의 친분도 두터워졌다. 다친 다리는 다 나았는지, 패드맨턴(탁구와 배드민턴을 접목한 스포츠) 대회는 잘 진행되고 있는지, 스터디 카페는 독서실과 무엇이 다른지, 특성화고 면담은 잘 되고 있는지, 운동은 왜 그만두었는지, 각자의 안부를 물을 수 있는 사이가 되었다. 오늘도 새로운 이벤트를 진행하며 아이들과 깔깔대는 사이 점심시간이 훌쩍 지나버렸다.

아침에 아침밥에 투정 부리는 아이들에게 그럴 거면 먹지 말라며 화냈던 일도, 아픈 엄마의 건강이

회복되며 다시 잦아진 잔소리에 머리 아팠던 일도, 2주 넘게 부재한 남편의 자리에 고단한 몸과 마음도, 학교에서 학생들과 이야기하다 보니 훌훌 털어진다.

 책도, 도서관도, 소통을 위한 도구일 뿐이다. 독서는 나와의 소통, 세상과의 소통, 관계의 소통을 위한 기초다. 도서관은 그 기반을 다지도록 도와주는 장소로서, 즐거운 경험을, 아무 대가 없이, 아니 그들의 내적 외적 성장을 바라는 마음만으로 그 자리에 있어 주면 된다.

 어두웠던 A양이 매일 도서관에서 한층 밝아진 얼굴로 출근 도장을 찍으며 마음을 활짝 열어 주었듯, 학업에 지친 B양이 도서관에서 눈물도 짓고 넋두리도 하며 고달픈 마음을 달래고 돌아가면 되었듯, 그런 생명을 주는 도서관이, 이 일이 참 좋다.

<u>도서관에도 이야기가 와요</u>

 넷플릭스에서 절찬리 방영 중인 [정신병원에도 아침이 와요]를 며칠에 걸쳐 다 보았다. 공황장애, 우울증,

조현병, 지능 장애 등 다양한 에피소드들로 그러한 정신병들이 개인에게 어떻게 찾아오는지, 그런 사람들을 어떠한 시선으로 바라보는지, 그로 인해 상처받는 사람들은 어떤 삶을 살고 있는지, 아프지만 담담하게, 설득력 있게, 희망차게 그려나간다. 지금은 도서관 희망 도서 신청 기간이어서 원작 웹툰도 도서관에 들일 생각이다.

앞서 이야기했던 우울한 사자 같던 A양은 11월 한 달 내내 매일 같이 도서관에 왔다. 반별 대항전으로 독서 일지 같은 메모를 쓰게 하는데, 이 아이 혼자 매일 같이 써오고 있다. 도서 대출만 했다면 너도나도 했을 텐데 다른 아이들은 이 메모 때문에 참여를 잘 안 한다. 오로지 A양의 독주로 한 반을 견인하고 있어, 곧 반 전체가 A양을 통해 간식 선물을 받기를 기대해 본다.

지금은 특성화 고등학교 원서 준비 기간이고, 일반고를 갈지 특성화고를 갈지로 졸업반 아이들을 갈팡질팡하고 있다. 당연히 일반고를 가겠지 하던 친구들도, 특성화고 설명회를 듣고 나면 한 번쯤 가고 싶은 마음이 드는 모양이다. 그와 동시에 성적표까지 나오면서 아이들의 흥분과 절망과 아쉬움들이 여기저기 터져 나왔다. A양은 느긋했다. 일반고 진학이 확정되었다고 했다. 일반고 갈 성적이 전혀 아니었는데, 특수학교와 일반학교를 가는 경계에 있어서, 담임선생님의 제안으로 특별전형으로 진학이 확정되었다고 했다. 무슨 말인지 그때는 잘 몰랐는데, 집에 와서 드라마를 접하고 이 아이가 경계선 지능지수를 갖고 있다는 것을 알게 되었다. 지능검사시 70~80점 사이는 경계성 지능에 속하지만, 장애는 아니기에 복지의 혜택을 거의 받을 수 없어 아이와 엄마의 갈등을 그리는 장면을 드라마를 통해 보면서, 아 A가 이거였구나! 했다.

대화만으로는 알기 힘든 장애이기 때문에 고등학교에 가서 잘 적응할지 걱정이 되었다. 중학교에서도 받아주는 친구만이 함께 할 수 있었는데, 고등학교에서는 괜찮을까. 아이의 말로는 특성화고는 취업해야 하는데 엄마는 그것보단 일반고 진학이 낫다고 했다고 한다. 아무것도 몰랐던 나는 아이의 과몰입하는 성격이 하나를 제대로 파면 또 잘될 것이라 여겨, 계속 책을 열심히 읽어보라고 권면해 주었다.

'지킬 앤 하이드'나 '레미제라블'처럼 뮤지컬이 있는 고전을 좋아하는 아이는 책과 영상을 오가며 문학에 빠져있는 듯했다. 친구들은 하루 세 권씩 책을 빌려 가는 A양을 보며, 진짜 책을 다 읽는 게 맞느냐, 말도 안 된다며 비아냥댔지만, 읽지 않아도 괜찮다. 그러는 너희는 그렇게라도 시도해 봤느냐! 라고 말해 주고 싶었다. A양에게 문학이 그녀의 이야기가 되고 세상이 되었으면 좋겠다. 이야기는 누구에게나 공평하니까!

적성인가요, 돌고 돌아 찾은 나의 길

2023년 마지막 행사만 남았다. 한 해의 결산이나 다름없는 각 동아리들의 참여로 이루어지는 축제날이다. 나의 중학시절엔 축제라는 게 없었고, 준비해 본 적이 없어 막막했지만, 담당 선생님은 어차피 그날 지나면 버릴 것이라며 부담 갖지 말라고 하셨다.

그래서 그간의 행사들 사진을 뽑아 사진전을 준비하고, 부스별로 책 표지 퍼즐과 룰렛, 책 표지로 종이백 만들기, 크리스마스 타투로 축제를 준비했다. 본 행사 외에도 책 눈사람을 만들고, 풍선을 달고, 전시물을 게시하는 등의 도서관 환경을 조성해야 했다. 혼자였으면 똥 손인 나는 몇 날 며칠 밤새야 할지도 몰랐으나, 도서부 친구들이 있었고, 금 손인 오전 봉사 선생님이 계셨고, 행사의 경중을 따져줄 국어 선생님이 계셨으니, 2~3일 초과근무를 하는 것 정도로 준비가 마무리되었다. 휴, 다행이었다.

행사 날이 되었다. 아침 일찍부터 출근해 전구를 밝혀 최대한 게시물을 밝혀주고, 신나는 크리스마스 캐럴로 배경음악을 틀고, 일하는 도서부 친구들을 위한 간식을 준비하며 도서관 문을 열었다. 선생님들도 아이들도 즐겁게 참여하는 모습을 보니, 내가 좋아하는 것이 이런 일이구나. 내가 있는 이 장소가, 대화가, 일이, 누군가에게 기쁨이나 변화나 무엇인가를 이끌어내는 일이라는 것을 좋아했구나, 이 일을 하기를 참 잘했다 싶었다.

비록 세 시간 후 열심히 꾸민 풍선 따위를 떼어내고 버리는 수고가 이어졌지만, 힘들다고 느껴지지는 않았다. 동료가 있었고, 성황리에 행사를 마쳤으며, 다 했다는 뿌듯함이 자리 잡을 뿐이었다. 내년에는 어느 학교에 간다면 이런 일들을 해봐야지, 개인적으로는 이런 글들을 쓰며 사서로서의 역량도 키워봐야지 생각하면서 축제를 마무리했다.

내가 만약 학교를 졸업하고 바로 도서관에 취업했으면, 도서관의 일들에 지금만큼 진심일 수 있었을까 생각해 보았다. 10여 년의 회사 생활 중 북소믈리에 시절에는 책은 있지만 사람이 없었고, 고객상담 시절에는 사람은 있지만 책이 없었다. 육아에 전념할 때는 책도 시간도 여력도 없었고, 독서지도사의 일을 하면서는 학생 모집과 유지가 녹록지 않았다.

반면에 회사에서 배운 행정적 업무들, 글쓰기, 책, 고객 상담에서부터 육아에서 배운 인내와 끈기, 독서지도사를 하며 배운 교육적 스킬들이 내 안에 차곡차곡 쌓였고, 도서관을 우연한 기회에 만나 사서로서의 일에 비로소 재미를 느끼지 않았을까 싶다.

목회자의 자녀로 산 세월이 힘들어서 배우자감으로 목회자는 염두에 두지도 않았건만, 여러 명의 연애 상대를 거쳐 지금의 남편에게 도달하여 비로소 안정감을 찾아 결혼한 것처럼, 도서관 역시 돌고 돌아 나의 자리를 찾은 것 같다.

비록 정규직도 아니고, 내년에는 어떤 학교를 갈 수 있을지도 알 수 없고, 이 일을 계속할수록 매너리즘 따위로 힘든 일이 생길 수도 있겠지만, 내가 선택한 이 길이 틀리지 않았음을 확신한다. 이 길 위에서 나의 영

역을 조금씩 확장해 나갈 일들이 기대된다.

방학 시작

드디어 학교의 마지막 퇴근을 했다. 재계약은 '사서교사'로 채용될 예정이라기에 이루어지지 않았다. 나는 교원자격증은 없는 '2급 정사서'였다. 아마도 사서교사로 공고를 내도 지원자가 없는 경우에나 '사서'의 자리가 나올 것이다. 이 지역에는 교사가 많지는 않아서 아직 '사서'만으로도 자리는 있다고 했다. 한 해 경력도 쌓았으니 다른 학교에서의 새로운 출발을 기대하고 있다.

이틀 전 더 이상 출근하지 않는다는 사실을 안 학생들은 이제 어디 가서 떠드느냐, 무슨 낙으로 도서관에 오냐, 방학하면 가시지 왜 벌써 가냐 등 아쉬운 인사말을 해주었다. 선생님들은 북적이는 도서관이 보기 좋았다고, 행사 진행하느냐 수고 많으셨다는 인사를 해주셨다. 담당 선생님은 특히나 이것저것 챙길 수 있는 모든 것들을 챙겨주며 고마움과 아쉬움을 전했다. 그 모든 마음들이 전해져서 떠나는 길이 외롭지 않았다. 번호를

따가는 친구들도 있었다. 어차피 몇 번이나 하겠나 싶어 몇몇은 알려주었다. 그중 마지막 학생 두 명은 우리집엘 찾아오겠다며 날짜까지 잡았다.

신앙의 방황을 하다 서른 무렵 만났던 교회 공동체가 있다. 그때에 리더를 맡았는데, 팀원들이 적극적으로 협조하고 모여 주었고, 서로에게 위로가 되어주었고, 만남이 행복했다. 부족하게 준비해도 나머지 빈자리는 팀원들이 서로 도와 채워주었다. 봉사하고자 했는데, 섬김을 받는 시간이었다. 그 첫 리더의 경험이 삶의 전환점이 되어 주었고, 다음에도 리더의 역할을 감당하게 해 주었고, 그 길이 목회자에 대한 마음을 열어 사모의 길까지 받아들일 수 있게 되었다.

반면에 회사에서의 리더의 경험은 다시는 하고 싶지 않은 기억이다. 7~8명을 이끄는 작은 부서였지만 그들을 이끌만한 능력이 없었다. 글 쓰는 것은 좋아했지만, 그 외에 데이터를 수정하고 고치고 기준을 세우는 데에는 꼼꼼하지 못했고, 갈 길을 알지 못했다. 내가 후배들에게 줄 수 있는 것이 없었고, 그런 나를 후배들도 신임하지 못했다. 결국 나는 휴직이라는 길로 도피했다.

퇴사를 하고 교육의 길로 오고 보니, 회사는 나에게 맞는 옷이 아니었음이 확실해졌다. 꼼꼼하지는 못하지만, 팀원들이 스스로 잘하는 것들을 발휘할 수 있도록, 서로 소통할 수 있도록, 시간과 장소를 마련해 주고 독려해 주는 일, 책과 글쓰기로 삶을 바라볼 수 있도록 도와주는 일은 심장이 활기차게 뛰었다. 내가 즐거우니 관계자에게도 인정받을 수 있었다.

공동체의 첫 리더의 경험처럼, 학교 도서관의 첫 경험이 행복하게 저장되었다. 나의 중학교 시절에도 주말이며, 휴일이며 아이들을 데리고 여행을 다니던 선생님이 계셨다. 나는 한 번도 함께하진 못했지만, 그 시절의 추억이 학창 시절 중 가장 기억에 남는 때로 남아있다. 나도 아이들에게 그런 기억에 남는 선생님이 될 수 있을까?

나를 찾는다던 아이들은 공부를 잘하는 아이도, 모범생도 아니다. 그중 한 명은 학교도 잘 안 나오는 아이다. 담당 선생님은 도서관에 출근하는 아이를 의아해했다. 아이는 가정 상황으로 방황을 좀 하는 모양이었다. 이런저런 이야기를 나누며 그저 특이하게만 보던 나의 시선이, 그녀에게도 하고 싶은 일들이 많다는 것을, 가족을 사랑하는 마음이 누구보다 크다는 것을 알아볼 수 있게 바뀌었다. 그리고 학교의 누군가가, 그것이 나라면, 좋은 어른이 되어주어야지 다짐하게 되었다.

방학이다.

여러 아이들이 찾아온다고 연락처를 받아 갔지만 단두 명이 진짜로 찾아왔고, 반가운 마음으로 나 역시 맞아주었다. 치킨과 피자를 먹고, 케익과 다과를 하고, 학교 이야기, 학교 밖 이야기, 진로 이야기를 신나게 하다가, 아이돌 영상을 보며 우리 세 남매와 신나게 춤추고 돌아간 녀석들. 건투를 빈다!

계약만료자의 다음은?

계약이 만료된 지도 보름이 넘었다. 계약이 끝나자마자 실업급여를 신청하기 위해 교육도 듣고, 워크넷에 등록도 하고, 가장 크게는 육아의 자리로 채워지고 있다. 그간 가지 못했던 친구네 아이들과의 여행도 가고, 방학한 아들과 오전 내내 비비대며 지내는 날들이 좋다.

물론 방학하면 해야지 결심했던 글쓰기, 독서 루틴은 잊힌 지 오래고, 아이들과 함께 오전 느지막이 일어나 먹고, 티브이 보고, 다시 먹고, 아이 공부 좀 봐주다가, 아이들 픽업을 오가며 하루하루가 지나지만, 다시 일하기에 이 시간이 소중한 탓인지, 기억도 가물한 나의 청춘처럼 뭉텅뭉텅 시간이 새어나가 아쉽기만 하다.

우리 아들이 이렇게 수다쟁이였나, 책 하나를 둘이 어찌나 낄낄대며 보는지, 왜 아들과 연애한다고 하는지 알 것도 같다. 내 시간이 여유롭다 보니 화낼 일도 줄었다. 내 일정에 아이들이 따라주지 못하면 불같이 화내던 내가 어디 갔나 싶게 온순해졌다. 이 정도면 집에 있는 게 맞는 건가 고민이 되기도 했다.

아들에게 물었다.

"엄마 일 하러 나가는 게 좋아, 집에 있는 게 좋아?"

"응? 갑자기 왜?"

"아들이랑 집에 있으니까 좋아서~엄마 집에 있으니까 좋아?"

"음... 쪼끔 좋아! 엄마 없으면 나 밥은 어떻게 먹어~~~"

아.... 역시 짝사랑이었구나. 아들 덕에 쿨하게 내년 일자리를 찾으러 노트북을 켠다. 다행히 작년 학교에서는 올해 함께 할 수 있냐고 연락이 왔다. 단, 교사 공고가 끝나야 강사 공고가 나기 때문에 교사로 지원하는 사람이 있다면 나는 닭 쫓던 개 신세가 된다. 나도 살 길을 찾아 집 근처 고등학교에 이력서를 냈는데, 면접 보러 오란 소리도 못 듣고 맥없이 떨어졌다. 다시 이전 학교에서 연락이 왔고, 교장 선생님이 휴가 중이라 돌아오시면 확정이 난다고, 교감 선생님까지는 통과됐다고 알려주었다.

80프로 확정의 소식을 듣고도, 앞으로 집 근처 자리가 나오면 응시를 할 것인가 고민하고 있다. 주변에서는 이 세계가 다 그렇다며 집 근처가 된다면 무조건 가라고 하지만, 나를 처음 고용해 준 학교(라기 보단 담당 선생님)의 손을 놓기가 쉽지 않다. 아마도 나는 교장선생님의 싸인이 떨어지면 이전 학교로 돌아갈 가능성이 99프로다.

비정규직은 매년이 갈림길이고 고민이고 일할 수 있을지에 대해 걱정한다. 마치 전셋집과 같달까. 정해진 계약기간에 나와야 하고, 집주인이 나가라고 하면 나가야 하는 집 없는 자처럼. 정규직이 그립기도 하지만, 내가 하고 있는 일이 소중하니까. 어디를 가더라도 나의 일이 변하는 건 아니니까. '직장'이 중요한 게 아닌 '직업'이 중요한 거니까, 나의 일을 소중이 쌓아보자.

처음 해 본 임금협상

13년여 한 회사에서 일했기 때문에 연봉협상 같은 것을 딱히 해 본 적이 없었다. 그냥 차근차근 순서를 밟아 진급하냐 못하냐만 있을 뿐이었다.

계약직의 사정은 달랐다. 계약이 만료되면 다른 학교를 찾거나 재계약을 해야 했는데, 프리랜서 같은 처지이다 보니 나에게 유리한 조건인 곳으로 선택하는 것이 당연한 이치다. 그런 과정에서 예상치 못하게 갑의 입장이 되어봤다.

이전 학교와 일하기로 했지만 집 근처 일터라는 장점을 뿌리치기가 힘들었다. 최종 목표는 우리 첫째 둘째

가 다니는 학교로 두고, 근처 초등학교에 이력서를 살
포시 넣었다.

　일주일 후 면접에 오라는 문자가 왔다. 갈 곳이 있고,
마음속으로는 옮길 생각이 없었기 때문에 면접을 갈까
말까 여기저기 물어보며 고민했다. 면접 때 입을 마땅
한 옷도 없고, 가기도 귀찮았지만, 근처 초등학교에 얼
마나 지원자가 있으려나 동태를 살피자는 마음으로 면
접을 보러 갔다.

　도착하자마자 면접장으로 갔다. 교감 선생님과 남선생
님 두 분이었는데, 교감 선생님만 질문하셨다. 한 5분
여 얘기했을까, 바로 계약서를 쓰자고 했다. 내가 더
당황하여 면접자가 저뿐이냐고 물었다. 한 분은 면접
날이 겹쳐서 못 오고, 한 분은 자격조건이 안 되는 분
이었다고 한다. 단독면접자였다. 사실 이전 학교와 재
계약하기로는 되어있다고 고백했다. 반전은 이미 교감
선생님도 알고 계셨다. 통화를 하셨다고 한다. 그러면
서 선택은 나의 몫이니 내일 오전까지 고민하고 알려
달라고 하셨다.

　초등학교는 아이들도 많이 오고, 책 배가는 오롯이
사서의 몫이라 앉을 틈도 없다고 들었던 터라 실제

로 초등학교에서 일할 마음은 없었다. 그런데 면접에서 들어보니, 대학생 봉사자가 2명이 있고, 자원봉사자 1명도 추가 배치될 거라고 했다. 매월 행사도 안 해도 된다고 했다. 무엇보다 걸어서 10분 거리라는 것이 가장 마음에 들었다. 남편과 상의하고, 사서 직종에 있는 친구와도 얘기해 보고, 절친과도 상담해 보니, 무조건 가까운 곳이 좋고, 자녀가 초등학생이기에 초등학교 근무가 도움이 많이 된다는 조언에 힘입어 이전 학교 담당자에게 연락하여 근처 초등학교로 가야겠다고 알렸다.

그런데 웬걸, 담당자가 펄쩍 뛰며 작년 조건과 똑같이 해줄 테니 다시 생각해 보라고 한다. 작년 조건이라 함은 4시간 근무에 주휴수당을 주는 것인데, 미취학 플러스 초등 1, 2학년을 둔 나에게는 오전 시간을 활용할 수 있어 더할 나위 없이 좋은 조건이었다. 급여의 차이가 약간은 있었으나 오전 시간의 활용이 지금의 나에게는 더 나았다. 이쪽저쪽의 줄다리기 끝에 나에게 가장 좋은 조건으로 재계약하겠노라고 결정했다.

10년 넘게 한 직장에서 일하고, 어디엔가 뽑히기만

하면 감지덕지했는데, 내가 결정권자가 되어 가장 좋은 조건으로 일할 수 있게 된다니 새삼 감격스러웠다. 사서교사를 무조건 배치해야 하는 학교는 늘었는데, 사서교사는 우리 지역에 턱없이 부족하고, 그리하여 나처럼 사서 자격증 소지자에게까지도 기회가 온 덕분이었다. 때마침 이런 사서마저도 부족한 실정이라, 가고 싶은 곳을 골라 갈 수 있는 나이스 타이밍이 나에게는 마냥 우연 같다고 여겨지지 않았다. 운명이었다.

이런 나의 모습을 보던 동네 친구가 도서관 일은 어떻게 할 수 있는 건지 물었다. 그러고 보니 같이 일하던 독서지도사 선생님도 물은 적이 있다. 도서관을 좋아하는 사람이라면 한 번쯤 꿈꿔봤던 사서의 길. 사서 자격증을 소지하면 된다고 알려주었다. 방통대나 온라인으로는 취득할 수 없고, 학부에서 문헌정보학을 전공하거나, 교육원에서 공부하면 준사서 자격을 얻어 일할 수 있다. 그러나 사서의 자리가 꽃길은 아니어서 추천은 차마 하지 못했다.

그래도 학생들이 계속 줄기 때문에 정규 임용의 티오는 많이 없어도, 앞으로 얼마간일지는 모르나 계약직이

나 공무직으로는 계속 자리가 날 것으로 예상하고 있다. 무엇이 되었든 학교도서관이 살아나고, 지역 도서관이 살아나고, 사서가 일할 곳이, 사람들에게 휴식이 되는 도서관이 많은 대한민국이 되었으면 좋겠다.

첫 학기는 계획대로 되지 않아

드디어 개학하고, 입학하고, 도서관으로 출근했다. 작년부터 줄곧 다녔던 곳이라 그런지 발걸음이 가볍다. 익숙한 정경과 경비아저씨, 제법 낯익은 학생들까지, 아 나의 일터로 돌아왔구나! 실감한다.

오자마자 창문을 활짝 열어 환기하고, 청소기를 돌려 묵은 먼지를 털어내고, '독서교육종합시스템'에서 '독서로'로 바뀐 대출 프로그램이 이전 정보를 잘 가지고 왔는지, 메뉴들이 바뀐 것들은 없는지 살펴본다. 특히, 학기 초에 할 일은 '진급처리'라는 것인데, 3학년 졸업생은 삭제처리하고 1, 2학년은 한 학년 위로 진급처리를 하는 것이다. 더불어 신입생들은 새로이 등록하고, 개인정보처리 동의서도 받아야 한다.

그런데 시스템이 바뀌다 보니 진급처리 방법도 바뀌었고, 사서 커뮤니티를 보니 이 과정에서 오류가 많이 나는 모양이었다. 도서관 담당 국어 선생님과 나는 잔뜩 긴장하며 행정실에서 받은 학적파일을 도서로 프로그램에 맞게 재편집하여 업로드했다.

'세상에, 한 번에 성공이라니! 기분이 좋구나~~'

일주일 후 개관하려던 도서관은 바로 다음 날 열기로 했다. 도서관 불이 켜지자마자 들어오고 싶어 문을 두드려대는 참새들이 보였다.

기다려, 내일부터 열어줄게!!

다음 날, 드디어 도서관 문을 열었다. 착실한 도서부 친구들 몇몇은 봉사 시간을 주지 않는 때임에도 출근하여 대출 반납과 서가 정리를 도와주었고, 임원들은 신규 도서부원을 모집하느냐 열 띠게 돌아다니고 있었다. 다행히도 지원자가 많아 면접을 어떻게 봐야 할지 의견을 조율하고 있었다. 나도 함께 고민했다. 올해는 이 아이들과 어떤 도서부를 만들어 볼까? 큐레이션을 집중적으로 해볼까? 행사 기획을 아이들에게 시켜볼까? 서가 정리는 어떤 방식으로 시킬까?

새 학기의 두 번째 미션은, 운영계획서 작성이다. 작년에 찜해두었던 도서관 행사 관련 책을 가져오고, 팬처럼 찾아가던 사서 선생님의 블로그에서 눈여겨보았던 행사를 운영계획에 반영했다. 같은 행사도 우리 학교에 어떻게 변형해서 할지, 어떻게 하면 아이들이 좀 더 다양하게, 좀 더 깊게 책을 읽게 하는 행사를 할 수 있을지 고민했다.

아무리 생각해도,
이 일은 참 재미있고, 의미 있다.
이제 진짜 시작이구나!
계획대로만 잘 흘러가다오~~

제**4**장 네 번째 커리어,

나의 본업 주부, 엄마, 아내

남편은 역시 남의 편

아이를 키우면서 남편과 많이도 다퉜다. 첫 아이를 낳고는 심심치 않게 고성이 오갔다. 아이는 먹고 싸고 울고 온 집안을 휘저으며 돌아다니는데, 나는 혼자 그 아이를 어찌할 바 모르며 쫓아다니는 판국에다가, 빨래다 청소다 삼시세끼 밥에다, 내 개인적 삶이 비집고 들어갈 틈이 없었다. 남편은 잘 도와주는 남편이었지만, 그저 '도와주는' 알바일 뿐이었다. 시키지 않으면 몰랐다. 나의 바람은 그도 '주체적'으로 '사장 마인드'로 임해주길 바라는 것이었는데, 첫 아이를 낳았을 당시에는 머나먼 얘기였다.

어느 날은 주말에도 일하고 오는 남편의 밥차림 때문에 싸움이 있었다. 집에 먹을 게 딱히 없는데, 메뉴도 딱히 생각도 안 나고, 사 먹고 싶은 생각도 없었다. 남편은 힘들게 일하고 왔는데 뭘 사갈까 물어봐도 시큰둥하고 밥도 안 차려놓는 내가 못마땅했다고 한다.

나는, 그 당연함에 화가 났다. 나도 월요일부터 금요일까지 내내 일하고 맞는 주말에 아침부터 빨래다 청소다 쉬지도 못하고, 밥도 다 해 먹여 보냈고, 남편 와

이셔츠까지도 내 몫으로 다려야 하는데 도대체 왜 그렇게 당연한 건데!

뾰로통해 있는 나를 달래며 남편은 말한다.

"그냥 라면 끓여놔도 내가 그렇게 말할 땐 한 번쯤은 저녁 맛있게 차려놨으니 일찍 들어와~라며 애교 있게 대해주면 안 돼?"

왜 나도 힘든데 애교까지 섞어가며 맘에 없는 말을 해야 하나? 왜 남편 너는 그렇게 애교 섞어가며 맛있는 저녁을 해주거나 사 올 생각은 안 하나? 집에 있는 내가 노는 것처럼 보이나? 나가도 일하고 돌아와도 일하는 그 마음을 네가 얼마나 아나?

애 하나 키우면서 늘어난 어깨의 짐이 몇 개인지 모르겠다. 집안일도 결국은 내 책임, 애와 관련된 모든 일도 모두 엄마의 결정, 남편 뒷바라지, 회사 일까지, 내 몸 하나 겨우 건수하던 나에게 가정을 꾸리는 일이 버겁기만 했다. 내 새끼는 너무너무 예쁘지만 그에 이어지는 책임과 선택과 후회 속에서 휘청거리며 살아간다.

그럼에도, 숱한 싸움과 화해 속에서 그래도 조금씩 성장했다는 것이 위안이라면 위안이었다. 아이가 셋으로 늘어난 지금의 남편은 더 이상 아침과 저녁을 마냥 바라는 허황된 꿈을 꾸지 않았고, 너나 할 것 없이 가사와 육아로 바빴다. 돈도 벌고 육아도 도맡아 하는 나에 대해, 당연함이 아닌 고마움의 시각이 엿보이자 나의 태도도 바뀌었다. 남편의 수고에 대해 감사함을 되찾았다. 나는 당연하지만 않으면 되었다.

엄마, 아빠도 이렇게 성장하고 만들어지는 건가 보다.
앞으로 우리 부부의 과제는 또 무엇일까.
서툴지만 하나씩 배우는 마음으로 가봐야지.

<u>엄마, 기분 풀렸어?</u>

요즘 들어 첫째가 자주 하는 말이다. 잘 놀아주다가도 힘에 부치면 버럭 화를 내고 마는 엄마에게, 첫째는 잠시 자리를 비켜주었다가 돌아와

"엄마, 이제 기분 풀렸어?"

라고 묻는다. 놀랍게도 기분이 풀려는 있지만, 아들의 기분은 어떤지 모르겠다. 돌아서면 미안하고 후회되는 맘뿐이다. 화내지 않고 부드럽게 얘기해줘도 됐을 텐데.

애 셋을 키우면서 뱃속부터 끌어내 호통을 치며 얘기하는 것이 습관이 되어가고 있다. 변명하자면 처음부터 화를 내는 것은 아니다. 한번, 두 번, 세 번, 그래도 듣지 않으면 버럭 소리를 쳐야 아이들이 그때야 돌아본다. 눈이 콩알만 해져서는 놀라는 아이들을 보자니 이래도 되나 싶다가도, 이래야 말을 들으니 똑같은 패턴이 반복된다.

다시 육아서를 집어 들어야 하나? 방법론적으로 접근해 봐야 근본적인 나의 변화가 없다면 도루묵일걸 뻔히 안다. 의식적으로 바뀌었다가도, 상황과 체력과 심리 상태에 따라 무의식적으로 원래의 모습으로 돌아갈 테니까.

근본적으로, 어떻게 바뀌어야 할까. 어떻게 바꿀 수 있을까. 상담이라도 받아봐야 할까?

어렸을 적, 아빠를 참 좋아했었다. 재미있게 놀아주고, 책상에 앉아 공부하는 아빠가 멋있었다. 그런 아빠이지만 지금의 나처럼 버럭하고 화도 잘 냈다. 내딴에는 아빠를 도우려고 했던 일도, 아빠의 맘에 맞지 않으면 얼굴과 행동과 말투에서 짜증이 묻어났다. 어린 나에게는 아빠의 비언어적 행동까지도 뚜렷한 메시지로 받아들여졌다. 아이들은 그런 존재다. 부모의 모든 것을 온몸으로 배우고 느낀다.

나도 모르게 아이들에게 똑같은 상처를 주고 있다. 말하지 않은 표정과 행동까지도 아이는 다 알고 있을 텐데. 어떻게 이 고리를 끊을 수 있을까.

<u>아이들을 위한 엄마의 기도</u>

감정을 잘 다루는 아이가 되었으면 좋겠습니다.
자신의 희로애락을 잘 들여다보고, 적절할 때 꺼내어 쓸 수 있는 지혜로운 아이들이 되었으면 좋겠습니다.

외적인 꾸밈보다는 마음이 단단하고 멋스러운 아이였으면 좋겠습니다.

비교하고 경쟁하는 일에 신경 쓰기보다는, 더 나은 내가 되는 일에만 오롯이 신경 쓰는 아이였으면 좋겠습니다.

눈치 보지 않되, 따뜻하고 섬세한 배려가 있는 사람이었으면 좋겠습니다.

후회하더라도 결단력 있는 사람이었으면 좋겠습니다. 그에 따른 책임도 거뜬히 질 수 있는 어른이 되었으면 좋겠습니다.

단거리 선수보다는 장거리에 능한 아이였으면 좋겠습니다. 뭘 하더라도 꾸준함, 성실함이 결실을 맺는다는 걸 알았으면 좋겠습니다.

열 가지 단점보다, 한 가지 장점을 들여다볼 수 있는 아이면 좋겠습니다. 자신에게도, 타인에게도요.

하나의 장점을 두 가지, 세 가지로 늘려가는 끈기와 노력이 있는 아이면 좋겠습니다.

다른 재테크보다도, 장점의 열매로 경제적으로도 부족

하지 않기를 바랍니다. 아끼되 인색하지 않고, 나누되 낭비하지 않는 제대로 된 경제관념이 있는 아이면 좋겠습니다.

 내뱉는 말이 따뜻하고, 고운 아이였으면 좋겠습니다.

 혼자 잘난 체하지 않고, 이웃을 돌보며 함께 성장하는 아이가 되었으면 좋겠습니다. 함께하는 기쁨을 아는 아이 말입니다.

 무엇보다도, 몸과 마음의 건강을 돌보는 아이가 되었으면 좋겠습니다. 이것 없이는 아무것도 할 수 없으니까요.

 아마도 제게 부족한 것들을 기도하고 있는지 모르겠습니다.
 작은 감정에 일희일비하고, 장점을 꾸준히 키워내지 못하고, 눈치 보느냐 제대로 된 배려는 하지 못한 못난 엄마입니다. 단점으로 고민하고 후회하고 결정하지 못한 일들에 후회만 남은 엄마입니다. 그런 엄마이지만, 아이들은 그렇지 않기를 바라는 건

너무 큰 욕심일까요.

노력해야겠지요. 닿을 수 없는 기도라도, 가 닿도록
애쓰며 살고 있다고 보여줘야겠지요.

간절한 마음으로 기도합니다.
엄마도 그렇게 살아보도록 한 걸음 나아가겠습니다.

첫째와 셋째를 대하는 다둥맘의 자세

남편이 인터넷 기사를 하나 건넸다.
모델 이현의 아들 둘을 씻기는 사진과 기사였는데, 한
손 스킬로 후다닥 샤워를 끝내는 모습이었다.
기사를 보니 피식 웃음이 났다. 나 역시도 첫째와
셋째를 대하는 자세가 확연히 달라졌지. 암, 그렇고
말고.
얘기가 나왔으니 먼저 씻기는 것.
첫째는 거의 세 돌까지 내 품에 안겨 씻었던 것 같다.
일어서서 씻는 걸 무서워해서, 15킬로가 넘어서까지 쭈
그리고 앉아 머리를 받치고 어르고 달래가며 꾸역꾸역
씻겼다. 둘째, 셋째는 미안하지만 스스로 서 있을 수

있을 때부터는 죽 서서 씻겼다. 내 무릎 보호를 위해^^

"눈 감아~입으로 숨 쉬어~ "
둘째, 셋째가 딸내미건만 본의 아니게 강하게 키웠다.

먹는 것도 다르지, 암만.
첫째 때야 말해 뭐하랴. 다양하게 골고루 먹이려고 부단히도 애썼다. 내가 하긴 자신 없어 사 먹여도 보고, 사는 게 여의찮아져서는 나름대로 반찬 두세 가지는 해주려고 애썼다. 자기 주도적 식습관을 기르고자 음식을 여기저기 흘리고 장난쳐도 개의치 않았다. 치우는 게 뭐 대수랴.

그러나 막내에게는 흘리는 걸 용납할 수 없다. (치울 시간이 없다) 빨리 먹여주고 끝낸다. (다른 할 일이 쌓였다) 반찬은 하나면 족하다. 열심히 해줘도 봤는데 힘만 들고 애들이 손을 안 댔다. 억지로 먹이려고 하다 보니 화가 났다. 그 후론 하나의 반찬이라도 밥만 먹이자, 의 마음가짐이 되었다. 막내에게는 미안하고 대견한 마음이지만, 또 희한하게도 막내의 발육이 가장 좋은 건 왜인지.

노는 것.

화분을 엎어도 주워 담으면 되고, 맘껏 어지럽혀도 치우면 되니 자유롭게 두는 게 나의 스타일이었다. 첫째는 밤마다 노래도 불러주고, 책도 읽어주며 수면 의식을 가졌다. 누워서 늘 책 10권 정도를 읽거나, 책 하나를 무한 반복하거나, 두꺼운 책을 100페이지 넘게 읽다가 잠든 적이 태반이다. 세 명이 된 지금은 10시가 넘으면 엄마의 마감 시간을 알리고 먼저 잠들어 버린다. 시끄럽게 떠들든 말든 나는 내 잠을 청한다. 그러다가 도통 잘 생각을 않고 과하게 시끄러우면 호통도 한 번 친다. 한바탕 소동 후에는 잠잠해지는 시간이 찾아온다. 비로소 평화다.

첫째는 제일 잘해줬다고 해도, 어린 나이에 동생을 둘이나 본 것이 항상 미안해서 맘이 약해진다. 그래도 동생을 잘 돌보고 엄마를 도와주니 듬직하다. 둘째는 가운데에서 늘 울분을 토하면서, 자연스레 야무진 똑순이가 되었다. 막내는 가장 신경을 못 썼음에도 애교가 철철 넘쳐, 보기만 해도 사랑스럽다.

체력적으로, 시간상으로, 상황적으로 남매, 자매, 형제의 엄마들은 자연스럽게 '내려놓기'를 터득한다. 다행이자 신기한 건, 신경을 덜 쓴 둘째 셋째가 더 강하고

야무지게 잘 자라주어 미안함이 덜하다는 것이다. 사실
엄마는 세 명에게 모두 미안하지만, 각자의 자리에서
잘 커 주고 있다. 고맙고, 대견하다.

회사를 그만두지 못했던 이유

 솔직하게 말해보겠다. 진짜, 회사를 그만두지 못한
이유.

 돈. 첫 번째다. 아이 셋을 키우는 데에 지방에서 살지
않는 이상 홑벌이로는 감당할 수 없다.
 하지만 더 큰 이유를 들자면, 나의 정신건강이다. 돈
을 벌지 않으면 아껴야 하고, 나에 대한 소비는 당
연히 줄기 마련이다.
 헝클어진 머리, 축 처진 뱃살, 생기 없는 얼굴은 더
이상 거울을 보고 싶지 않게 한다. 돈을 번다고 해
서 나를 위한 소비가 느는 것은 아니지만, 나를 위
해 한 번이라도 거울을 들여다보고, 회사에 나가 '내
일', 나의 성과가 드러나는 일을 하고, 천천히 밥을
먹을 수 있는 일터가 있다는 건 정신건강에 굉장히
큰 도움이 되었다.

또 한 가지 더불어, 남편의 사고방식 때문에도 악착같이 일하러 나갔다. 육아와 가사에 굉장히 참여적인 남편임에도 불구하고, 내가 회사를 그만두고 집에 있는다면, 모든 가사는 내 몫임을 이전 육아휴직 때 알린 바 있다. 그 시절 피만 안 튀겼지, 매일 같이 울고 소리지르고 싸워댔다.

가사는 생각보다 멀티를 요한다. 청소도 단어는 두 글자지만, 화장실, 거실, 각 방에서부터 때마다 정리해야 하는 옷가지들, 구석구석 쌓이는 먼지들, 아이들이 매일 같이 가져오는 갖가지 선물이나 작품들의 정리 등 끝이 없는 일들이 펼쳐진다. 요리는 또 어떤가? 삼시 세끼만 걱정하기에도 메뉴가 동이 난다. 거기에 각종 아이들 준비물과 예방접종, 숙제까지 더해지면 혼자서는 도저히 감당 해낼 수 없다.

멀티가 안 되는 나로서는 가사+육아 업무에 금방 정신과 체력이 고갈된다. 한 가지만 파는 성격이라, 한꺼번에 여러 일이 몰려오면 짜증지수가 급속도로 올라가고, 예민해지고 우울해진다. 어떤 일도 잘 해내지 못하는 나를 보면서 행복할리 있겠는가.

그러나, 출근을 하면 분담이 된다. 가사와 하원은 친정엄마와 어머님이 도와주시고, 등원은 남편이, 퇴근 후 청소와 육아는 남편과 내가 그날에 맞춰 분담한다. 이 정도는 돼야 숨이 쉬어지니, 출근을 안 할 수 없다. 내가 휴직이나 퇴직을 하면, 모두 각자의 위치로 돌아갈 것이다. 서너 명이 함께 하던 걸, 어떻게 엄마가 혼자 할 수 있다고 하는 건지 알다가도 모르겠다.

 분담만 잘 된다면, 휴직이나 퇴사를 해도 조금 아끼며 살 수도 있을 것 같은데.

죽일 놈의 체력

 많은 학자가 증언하기도 하듯, 체력은 근성이고, 체력이 있어야 공부도 하고 일도 하고 육아도 '잘' 할 것이다. 하지만 나는 체력이 없어 근성도 없다. 조금 하다 안 되면 나가떨어져 버린다. 쉬 열이 올랐다, 쉬 식어 버리는 냄비근성의 포본이었다.
 아이에게도 다를 바가 없다. 아이들 수준에서 정말 신나게 놀 수는 있지만, 한 시간 이상 지속되면 짜증이 슬금슬금 올라오며, "이젠 너희들끼리 놀아!" 하고 꽁무니를 뺀다. 한창 신나게 놀던 아이들은 "으잉? 갑자기? 이렇게 재밌는데?" 하는 얼굴로, 그럴 수는 없지, 하며 옷자락을 잡고 늘어진다.

이때부터는 엄마의 표정이 무서운 괴물로 변하며 웃음기가 사라진다. 그리고 "엄마 이제 힘들어"를 입에 달기 시작한다. 아이들은 그제야 풀이 죽어 다른 놀거리를 찾으러 떠난다.

모처럼 부부가 다 쉬는 휴일이었다. 비가 왔다. 서울숲을 가려던 계획이 무산되었다. 느지막이 아침 식사와 정리를 마치고, "엄마 아빠 잠깐 쉴게, 너희들도 핸드폰 좀 봐" 하고는 우리 부부도 [어쩌다벤져스]를 재미나게 시청하려던 참이었다. 패드로 숫자 쓰기 게임을 하고 있던 막내가, 클릭이 잘 안되자, 엄마 아빠를 번갈아가며 잡아끈다. 친절히 패드를 아빠 앞에 두고 클릭이 잘 안될 때마다 눌러주며 티브이 시청을 이어갔다. 막내는 아빠가 해주는 것이 성에 안 차는지 냅다 집어던지고는 엄마와 '신데렐라' 역할극을 청한다. 역시나 친절히 역할극을 시작했다. 같은 '신데렐라'인데 주인공이 언니, 엄마, 막내와 번갈아 바뀌면서 역할극은 끝없이 계속되었다. 그리고 아이들은 자꾸만 자리 이동을 원했다.

엄마는 티브이를 보면서 하고 싶다고~!!!

 우여곡절 끝에 [어쩌다벤져스] 1회분의 방송이 끝났다. 이제부터 뭘 할까. 원래는 집에서 여름옷 정리를 할 참이었다. 옷 정리를 과연 할 수 있을까? 핸드폰을 보여주지 않으면 놀자고 난리일 텐데. 하는 수 없이 키즈카페를 가기로 합의했다. 이 코로나의 시국에도 많은 부모들이 키즈카페를 버리지 못하는 이유. 코로나 확진이 걱정되어 못 나가느니, '어떻게 되더라도, 어디라도 나가야만 한다'는 어쩔 수 없는 선택이다. 나가서도 한 놈은 동네 키즈카페를 가자고, 다른 놈은 농구하는 방방이가 있는 키즈카페를 가야 한다고 주장을 굽히지 않는다. 결국 가족은 찢어졌다. 둘째는 아빠와 동네 키즈카페로, 나머지는 엄마와 차를 타고 농구대 방방이가 있는 키즈카페로!

 예상은 했지만 대기가 27명이다. 역시, 코로나 시국에도 키즈카페는 호황이다. 대기를 걸어놓고 점심을 간단히 먹어야겠다 싶었다. 그사이 다른 키즈카페로 갔던 아빠와 둘째가 문이 닫힌 가게 상황으로 인해 완전체 가족이 함께 할 수 있었다.

 생각보다 빨리 우리의 순서가 왔다. 음식이 이제 막 나왔는데 들어오라는 키즈카페의 전화를 받고 후다닥 포장하여 입장을 서둘렀다. 아이들이 놀이장으로 신나게 뛰어 나갔다.

"이제, 자유다!!!!!"

우리 부부는 한 숨 돌리며 포장해 온 음식을 주섬주섬 먹었다. 흐뭇하게 아이들이 노는 모습을 바라보며. 이제 겨우 세 살인 막내가 혼자 어디를 가도 따라나서지 않았다. 눈으로만 살폈다. "잘들 노는구나~"라고 안심하는 사이, 10분? 20분? 지났을까, 첫째가 높은 곳에서 멋지게 점프하겠다며 뛰어내리다 가슴으로 떨어졌다.

"괜찮아, 괜찮아, 안 괜찮으면 병원 갈까?" 하며 자리에 앉아 안정을 취했다. 괜찮은 것 같았다. 그런데 이 놈이 이제 집에 가잔다. 2시간 권을 끊었는데 지금 가면 어쩌니. 할 수 없이 아빠가 자리에서 일어나 첫째와 놀아주러 나섰다. 그래, 역시 남자는 아빠와 놀아야지,

여유의 웃음을 띠우며 감자튀김을 씹고 있는데, 둘째가 자꾸 앞을 왔다 갔다 하더니, '한! 번~만~!' 자기를 따라오란다. 아뿔싸, 불안의 서막을 알리며 자리에서 일어섰는데...

그 후로 자리로 돌아오지 못했다는 설이다.

엄마 아빠가 휴일에 키즈카페를 가는 건, 아이들이 부모 없이도 아주 잘! 놀아주기 때문이다. 그 낙으로 코로나의 위기에도 불구하고 키즈카페를 갔건만, 나는 2시간 내내 방방이를 뛰어다녔다. 아이 셋을 낳고 보니 요실금 증세가 있어 뛸 때마다 오줌이 찔끔찔끔 새어 나왔다. 방방이를 하면 안 될 것 같았지만, 그래도 신나게 뛰었다. 아이들의 웃는 모습이 엄마도 좋았다.

체력이 떨어질 즈음, 첫째와 볼풀장에 있는 공으로 서로를 맞추는 놀이를 했다. 이제는 그만하고 싶은데 첫째는 계속했다. 인상을 구기며 엄마 이제 그만할래, 하고 아이의 앞으로 갔는데, 첫째는 아랑곳하지 않고 플라스틱의 작은 공을 내 볼에 찰지게 찰싹 - 한 번, 두 번, 세 번, 깔깔대며 던졌다. 따끔했고, 기분이 나빠졌다.

"야!!!!!!!!!!!!! 엄.마.가. 그.만.한.다.고.했.찌!!!!!!!!!!!!!!!!!"

씩씩거리며 자리로 돌아오는데, 첫째는 계속 따라온다. 너무 재밌다고 계속 놀잔다. 나는 다시 짜증을 퍼부었다.

"엄마 힘들다고! 넌 왜 엄마하고만 놀라고 그래, 동생들이나 친구들이랑도 놀아!!!!"

아이는 아빠를 발견하고 그리로 가서 나머지 시간을 보냈다. 곧 나올 시간이었다.

나가는 데에도 가기 싫다고 떼를 쓰는 둘째와 신경전을 벌여야 했는데, 하루가 엉망진창, 피곤이 몇 겹으로 쌓였다. 엄마 체력이 이렇게 바닥이 났으니, 아이들도 마찬가지였을 거다. 가기는 싫고, 몸은 피곤하고, 말도 안 되는 떼를 쓰고 울고 불고 하자, 나는 둘째의 입을 톡톡 치며 엄포를 놓았다.

"그만 울어!!!!!!!!!!!!!!!!!!!"

이런 계모 같은 엄마가 있을까? 다른 엄마들도 나처럼 화를 주체하지 못할까? 나는 분노조절장애인 걸까?

화를 꾹꾹 눌러왔어도 결국 터지는 순간은, 체력의 한계에 다 달았을 때다. 더군다나 여성 호르몬의 분비가 많아지는 날에는 참을 수 없는 지경이 된다. 아이들은 엄마의 불안정안 분노에 시시각각 노출되어 있다. 집에 가서도 마지막에 화를 내고야 만 나 자신을 원망하며 우울했다.

첫째한테 가서 사과를 건넸다.

"엄마가 몸이 너무 피곤해서 짜증을 냈네. 미안해."

첫째가 대답했다.

"엄마도 아기야? 짜증내면 아기잖아."

호르몬의 영향이 클 거다. 아랫배가 살살 아프고 짜증 수치가 올라가는 것이 마법의 날이 오고 있음을 알렸다. 그렇다고 아이들에게 온몸으로 짜증을 표출할 건 뭐람. 첫째 말대로 어른답지 못하고, 아이의 미성숙함 그 자체다. 어디서부터 바로 잡아야 하는지도 모르겠다. 자신의 본성은 위기 상황일 때 나온다던데, 나의 위기는 아이들이랑 놀 때란 말인가. 아이들이 참말 불쌍해졌다.

글은 뭐하러 쓰나. 글 쓸 자격이나 있는가, 하는 문제가 느닷없이 이럴 때 생각하게 된다. 내 아이들에게도 이렇게 성숙하지 못한데, 책은 뭐 하러 읽고, 글은 뭐 하러 쓰나. 그러나 역으로 미성숙하기에 치유하고자, 배우고자, 글을 쓰고 책을 읽는다, 고 변명해본다.

엄마가, 그래도 노력할게 얘들아!

엄마의 무심함

 막내 딸아이의 얼굴이 좁쌀만 한 붉은 반점과, 부르튼 듯한 흉으로 얼룩졌다. 그제 조금 올라왔는데 '모기가 돌아다니더니, 모기에 물렸나?'하고 내일 되면 괜찮아지겠지 했다. 어제 아침도 간지럽다기에 알레르기인가 싶어 약을 먹일까 하다가 못 먹이고 유치원을 보냈다.
 그런데 하원하고 보니 아뿔싸, 붉은 반점이 얼굴에 한 가득이고 입술 밑의 흉은 자꾸 손을 대고 긁어서 턱 전체로 퍼져 있었다. 병원에 가야 하나? 이제야 급한 마음으로 바빴다. 피부과 의사인 서방님께 물어보니 습진에 농가진화가 된 것 같다고 가렵지 않게 항히스타민제를 먹고 항생제 연고를 발라주라고 했다. 일전에 받아두었던 항히스타민제와 같은 약봉지에 있던 새 항생제 연고마저도 버린 남편에게 한바탕 짜증을 내고, 약통에서 찾아낸 연고를 가까스로 찾아 발라주었다.

생각해 보니 아침마다 아이가 얼굴이 간지럽다고 했었다. 뭐 때문에 알레르기일까만 생각했는데, 돌이켜보니 기본적인 세수와 로션을 하지 않았다. 바쁘다는 핑계로 아이들의 아침 세수는 거른 지 오래다. 유치원에서는 점심에 양치와 세수를 한 번 더 하니까 대수롭지 않게 보냈다. 학교에 들어간 첫째만 하루 종일 씻지 않을 터이니 꼭 씻겨 보낼 뿐이었다.

당연한 일과를 해주지 않았다는 것. 엄마의 무심한 불찰이다.

둘째 딸아이는 구몬을 하고 있다. 7세부터는 조금씩 매일 앉아 공부하는 습관을 들이려고 시작한 것이고, 오빠가 1년 넘게 잘해오고 있기에 당연히 동생도 잘할 것이라 굳게 믿었다. 하지만 둘째는 달랐다. 아무리 말해도 요지부동이었다.

오빠보다 이해 속도가 빠른 둘째를 내심 기특해했었다. 그런데 자꾸 미루고, 아는 것도 물어본다. 처음에는 써주기도 하고, 대답해주기도 했지만, 이번에는 도와주지 않았다. 혼자 하지 않을 거면 구몬은 이제 그만하자고 했다. 아이는 구몬 선생님을 좋아했다. 오실 때마다 좋아하는 간식이나 슬라임 따위의 놀거리를 가져오시기 때문이다. 결국 숙제를 하지 못한 채 구몬 하는 날이 왔고, 선생님이 단호하게 이번에는 선물을 주지 않았다. 그리고는 상담시간에 말씀하셨다.

"아이들이 5를 분기점으로 어려워해요. 처음에 잘하다가도 5를 넘어가면 앞부분도 헷갈려하고 어려워하더라고요."

'아, 하기 싫어서 도와달라고 한 게 아니라 정말로 어려웠구나. 어려워서 하기 싫어진 거구나.'

둘째에게 미안했다. 엄마가 또 이렇게 무심했다.

첫째 아들이 아침에 엄지손가락이 아프다며 주먹 쥐기가 힘들다고 했다. 손가락을 봤더니 엄지손톱 가의 살 부분을 뜯어내서 벌겋게 되어 있었다. 거기 뜯어서 아픈 거야~라고 하고 학교에 보냈다. 삼남매의 엄마는 어지간한 일에는 대수롭지 않게 지나쳐 버린다.

진짜 뼈가 아픈 건 아니겠지. 엄마가 또 무심한 건 아니겠지.

드라마가 좋다

운동을 해야겠다고 마음먹었다. 마침, 같이 산보를 하자는 동네 친구가 있어 야심차게 새벽 6시에 만나기로 했다. 원래는 등교, 등원시킨 후를 생각했었으나, 아이가 돌아가며 아프고 뭔가 계속 사건이 생겨 아침 산보가 쉽지 않았다. 차라리 여유 있게 아침 일찍 만나자! 다행히 친구도 동의해 주어 어렵사리 만남이 성사되었다. 1시간 기분 좋은 산보였다. 10년 넘게 회사 생활을 했기에 아침형 인간에 가까워서 딱히 힘들지는 않았다. 전 날 드라마를 보느냐고 새벽 1시에 잠이 들어 잠이 부족하기는 했지만.

운동을 다녀와서 아침을 차리고, 막내 병원을 가야했는데 엄마 자전거를 타고 가고 싶다는 말에, 오랜만에 자전거를 꺼내어 탔다. 그런데 바퀴에서 자꾸 소리가 났다.

" 엄마, 엄마가 계속 방귀소리가 나!"
" 엄마가 살이 쪄서 바퀴가 힘든 것 아니야?"

하며 깔깔대는 막내를 뒤에 태우고, 햇볕이 쨍쨍한 늦여름 바람을 맞으며 자전거 바퀴를 돌렸다. 허벅지에 힘을 빵빵 실어 병원에 도착하고, 진료를 보고, 약을 받아서 유치원으로 향하는데, 목이 타 더 이상 갈 수가 없었다. 가던 길을 멈춰 편의점에서 음료를 사먹고 무사히 아이를 등원시켰다.

집으로 돌아오는 길에, 혼자 가뿐히 자전거를 타보려는데, '펑'하는 소리가 들렸다.
'아.......'

바퀴가 터졌다.
'이래서 방귀소리가 났던 거구나....'
새벽산보까지는 괜찮았는데, 이후의 일정이 소화가 안됐다.
'아침형 인간은 아니었나. 첫 날이니까 그렇지 괜찮아질 거야.'

집에 와서 쵸코 아이스크림 '티코' 하나를 입에 욱여넣고, 빨래를 개며 어제 보던 드라마를 틀었다. 힘든 하루에 대한 나의 위안이었다.

'아.....빠져든다.......'

빨래는 핑계였다. 드라마가 보고 싶었다. 어제에 이어지는 뒷이야기가....글도 써야하는데..글쓰기는 좋아하는 무언가에 늘 밀렸다.

다음 날, 어제의 피곤 탓인지 아이들과 나는 아침 7시까지 꿀잠을 잤다. 6시 산보는 그렇게 끝이 났다. 이번 주는 친구의 스케줄과 맞지 않아 다음 주 화요일부터 하자는 약속이 있기도 했다. 그래도 혼자라도 계속 하려고 했는데, 글쓰기도 친구와 약속을 했는데...
출근을 했다. 동네 친구에게 톡이 왔다. 이틀이 지났지만 피로가 풀리지 않는다며, 자신의 패턴과는 맞지 않아 새벽 산보는 힘들겠다고 했다. 이로써 진짜로 일장춘몽이 되었다.^^
글쓰기를 매일 하자던 친구에게 톡을 보냈다. 너의 글쓰기를 방해하는 것은 무엇이냐고.

"게으름이지. 기한이 없고, 목적이 없고, 성과가 없어서 더 그런 듯"
"언니는?"

단연 드라마였다.
오늘 아침에도 드라마를 이어 보다가 머리도 감지 못하고 부랴부랴 출근을 했다. 운전 중에도 틀어 놓았다. 아니 왜 이렇게 슬픈 것인지, 눈물을 뚝뚝 흘리며 출근하는 나를 어찌해야 할지.

드라마가 좋다.

연휴 일정

이번 추석은 6일이나 쉴 수 있었다. 이런 긴 연휴에 일정이 하나도 없었다. 원래는 시댁 식구들과 가려고 동서가 리조트를 몇 달 전에 예약해 두었는데, 엄마의 급작스런 혈액암 발병으로 취소되었다. 사실 취소하지 않고 남편이 아이들만 데리고 가서 명절을 즐거이 보내길 바랐는데, 정의로운 남편은 소식을 듣자마자 여행부터 취소해 버렸다. 좀 물어나 보지.. 병원은 어차피 1

인만 출입만 가능해 남은 사람은 일상을 살면 되는 거였는데 굳이.... 좀 물어나 보지!

그리하여 장장 6일간의 연휴를 우리 가족끼리만 보내면 되었다. 뭘 하며 보내면 좋을까. 엄마 병중에 우리 가족끼리 여행 갈 수도 없는 노릇이고, 퇴원 후 우리 집으로 엄마가 오셔야 하니 정리를 좀 해놔야겠다 싶어, 도서관에서 청소에 관한 책들과 아이들 읽어줄 책을 한 아름 빌려가지고 왔다.

연휴 첫날, 첫날이니 드라마 [옷소매 붉은 끝동]을 시작하며 그냥 쉬었다. 엄마 병원과 시댁에 가져갈 갈비찜도 좀 했다. 처음 해보는 음식이라 블로그를 열어 놓고, 레시피 대로 해.... 야 하는데, 내가 하고 픈 방식이랑 섞이는 바람에 간에 실패했나 불안하다가... 그럭저럭 먹을 만한 음식으로 마무리했다.

둘째 날, 드디어 아이들 옷정리를 시작했다. 여름옷은 싹 꺼내어 거의 다 버리고.. 가을 옷을 들였다. 아~~ 하나 끝났다. 옷 방이 깨끗해졌다. 개운~~ 하다. 저녁엔 엄마를 보러 병원에 갔다. 병실에는 갈 수 없어 로비에서 만났다. 그래도 온 가족이 모일 수 있어 반갑고 좋았다. 비록 병원이지만 웃고 떠들 수 있어 감사했다.

셋째 날, 시댁을 방문했다. 음~~ 역시 어머님이 해주시는 음식이 최고다. 가자마자 아이들과 신랑 모두 잡채 흡입.. 후 저녁까지 얻어먹고 마무리했다.

넷째 날은 교회다. 연휴 때 시작한 드라마가 절정이라 새벽까지 질주하다 늦게 일어나 교회도 늦고, 다녀와서도 드라마 폐인모드로 보내다, 남편 귀가 후 아이들과 놀이터에서 신나게 한 시간 놀고 돌아와 저녁 먹고 씻으니 하루가 다 갔다.
그러고 보니 보름달도 못 봤네.

다섯째 날이다. 오늘은 아이들을 위해 평소 가고 싶던 '옥토끼 우주센터'를 방문할 예정이었으나, 아빠의 컨디션을 살피느냐 확정하진 못하다가, 천천히 일어나 준비하니 11시. 내비를 켜보니 1시간 반이나 걸린다. 옥토끼 홈페이지를 아이들에게 보여줬는데 대단히 반기는 기색은 아니다. 갈까 가지 말까.. 하다가 강화도 근처 캠핑 카페를 발견하고, 가보자 했는데.. 가도 가도 내비의 도착예정 시간이 줄지 않고, 남편은 연신 한숨이다. 옆에서 첫째가 그런 아빠에게 "지금 할 수 있는 걸 하자!"라며 아빠를 다독인다. 여덟 살 난 아들이 듬직하고 기특하다. 그래도 도착해서는 조개찜과 라면으로 기분 좋게 배를 채우고, 갯벌로 향했다.

그런데 망할 갯벌은 너무 더웠고, 진흙이 너무 깊어 아이들은 옴짝달싹 못하고, 화장실도 가기 버거워 바지에 싸버리고, 잡을 수 있는 생물은 보이지 않았다. 그래도 아이 셋이 수로를 만든다며 신나게 뛰어다니며 잘 놀았다. '이럴 줄 알았으면 을왕리 가도 되었지. 거긴 물이라도 있어 시원할 텐데..'

잘 논다고 끝이 아니다. 이제 씻기고 진흙을 정리하고 집에 가는 것이 일이었다. 남편의 심기를 건들지 않기 위해 미리 물건들을 씻어놓고 딸내미들 씻겨놓고 차에 짐을 가지러 왔다 갔다 하며 이 한 몸 불살랐다. 슬러시를 먹이고 차에 무사히 돌아가는 길에야 비로소 안도했다.

다시 돌아가는 데 두 시간. 남편의 한숨이 다시 시작됐다. 운전을 돌아가면서 하든가.. 왜 운전대는 혼자 잡고서 한숨 퍼레이든지 뒤통수를 후려치고 싶었다. 남들 다 쉬는 휴일밖에 못 쉬는 처지인데 감수해야 하는 것 아닌가? 혼자만 시간 아깝고 힘드나? 아이들이 다 잠들고 나서야 터졌다. 도대체 왜 사람 눈치 보게 만드느냐고 한바탕 해댔다. 여행 후에 나오는 항상 같은 레퍼토리. 지긋지긋하다. 아직은 아이들 케어에 혼자는 무리이기에 남편 빼고 여행 갈 날만을 손꼽아 기다린다. 오가는 긴 여행길도 기꺼이 조력할 동반자를 꿈꾸며. 세 놈 중 한 놈은 있겠지..

　대망의 마지막 날이다. 오늘은 장난감 정리를 하기로 아이들과 약속했었다. 느지막이 일어나 아침을 먹고 아이들은 티브이를 보고, 나는 빌려온 책을 '이제야' 집어 들었다. 연휴 마지막 날인데. 하하하. 집은 내 마음의 상태고, 깨끗이 할수록 삶이 바뀐다는데.. 치약 튄 자국이 그대로 남아있는 화장실 거울이 아닌지 돌아보라던 『청소력』 책을 읽고 뜨끔. 거울 클리너를 주문해야 하나..

　졸다가 읽다가 하다, 아이들이 하루 종일 티브이만 보고 있고, 냉장고를 연신 열었다 닫았다 한다. "냉장고 좀 열지 말라고!!" 한바탕 꽥하고 보니 핫도그 하나 주고 점심이 다 되었다는 것을 알아차렸다. 책을 덮고 부랴부랴 된장국에 밥을 말아 먹이고 장난감을 거실 한

가득 꺼냈다. 레고만 네 박스다. 꺼내온 장난감에 아이들은 정리는커녕 새로운 놀이로 빠져든다. 뭐가 그렇게 재밌었는지 막내는 화장실도 못 가 오줌을 두 번이나 바닥에 싸고, 내 정신은 미치광이가 되었다.

이럴 때는
남편 해결사가 와야지!!!! 아무거나 대충 버리고 정리해 줘도 남편의 빠릿빠릿한 행동이 내 정신을 가다듬어 준다. SOS 치고 10여분 만에 도착한 남편 덕에 후다닥 장난감 정리가 마무리되었다. 나는 차마 못 버리겠는 걸 척척 버려줘서. 고맙다 남편. 어제는 너란 놈을 버리고 싶었건만 오늘은 쓸 만하구나!

보고 있던 드라마 [옷소매 붉은 끝동]에서 주인공 덕임이 정조의 승은을 입으며 부부가 되었는데, 정사로 바쁜 남편을 기다리던 덕임의 독백이 생각났다.

"오늘은 행복하다 어떤 날은 슬퍼지고 결국 살아간다는 건 그런 게 아닐까. 마냥 기쁠 수도 마냥 슬플 수도 없는 것."

어제는 나쁘다가 오늘은 살만하고 내일은 행복한, 이런 하루하루의 연속이 삶인 거겠지.

연휴의 마지막은, 딸들과 목욕탕을 다녀오며 개운하게 마쳤다. 이게 바로 연휴지!

어른들에게 산타가 없는 이유

마음이 우울한 크리스마스였다.
크리스마스면 더 바쁜 남편. 결혼하고 지금까지 늘 이브날은 교회행사, 성탄에는 예배, 그리고 가족끼리의 축하로 끝나는 것은 여느 때와 같았다.

올해도 다르지 않았다. 연말행사 공연에 애들을 데리고 이리 뛰고 저리 뛰고, 바쁜 남편을 대신해 혼자 애들 선물을 준비해서 새벽같이 세팅하고, 혼자 애 셋을 데리고 성탄예배를 드렸다. 원래 하던 일이니까, 힘들지만 씩씩하게 해냈다. 그리고 드디어 남편의 일도 끝이 났다.
시댁으로 향했고, 함께 식사를 했다. 남편도 고된 일들이 끝나고 쉼이 필요했겠지만, 나는 기대했다. "이제는!!" 남편이 있는 가족이 모여 즐거운 시간을 보낼 수 있겠지. 인스타를 보니 평소에는 바쁜 남편들도 휴일에는 아이들과 놀아주려 애쓰는 모습들이 보였다. 이제 결혼을 앞 둔 동생커플은 둘이 알콩달콩 엄마를 챙겨주며 크리스마스를 기념한 사진을 보내왔다.

남편이 오길 기다리고 기다리고 또 기다렸는데, 와서도 혼자인 기분. 아이들과 홀로 놀이터에 나가 방방 뛰다가 가슴속이 뜨거워지고 불같이 화가 났다.

"도대체 남편 너는 언제 가족과 있을 건데!!!! 왜 나는 이렇게 외로운 건데!!"

괜한 불똥이 아이들에게 튀었다. 놀이터에서 느낀 이 또렷한 불행함이 당황스러웠다. 결혼을 하고, 아이 셋을 낳았는데, 사무치는 외로움이 도대체 적응이 안됐다.

화장실이 가고 싶어 놀이터에서 돌아온 막내 때문에 나오지 못한 남편의 사정을 들어도 마음은 풀리지 않고, 눈물이 왈칵 쏟아졌다. 가족들 모두가 당황했고, 남편은 연신 변명했다.

막내는 "왜 우는데, 이유를 말해줘! 엄마도 나 울 때 이유를 말해보라고 하잖아~~~"

첫째는 "울어도 돼 엄마. 괜찮아. 엄마가 힘들었나 보다." 하며 제법 위로다운 말을 건넨다.

아이들 덕에 비로소 웃음이 났다. 울면서 그래도 마음의 화가 배출이 된 듯싶었다.
집으로 돌아오는 차 안에서 남편에게 외로움을 호소하며 늘 똑같은 사과와 위로를 받고, 다시 한 번 눈물을 훔치고, 크리스마스를 마무리한다.

둘째가 자기 전 감사한 일을 말하는 시간에 산타클로스가 선물을 주셔서 감사하단다. 하늘이가 울고 떼쓰고 화내고 해도 '착한 아이'였나 보다고, 울면 안 돼 노래를 부르며 얘기해 주었다. 그랬더니 둘째가 깨달았다는 듯 말한다.

"엄마, 왜 어른에겐 산타가 안 오시는지 알았어. 왜냐면 어른은 아이들을 혼내잖아!!"

맞네. 만날 화내고 울고 짜증내는, 감정처리가 미숙한 엄마에겐 산타가 안 오시나 보다. 어른이 돼서도 여적 그러고 있냐고 말이지.

나는 외로웠던 아이였다.

생계가 바빴던 부모님 밑에서, 터울이 컸던 형제들과 함께 지낸 터라 속 깊은 이야기를 할 사람이 없었다. 가족끼리 이벤트도 별로 없었고, 지금의 나처럼 하루하루 허둥지둥 지내버렸다.

 십 대 이십 대를 공허함을 채우려 친구에, 술에, 연애에 매진하며 살았다. 삼십 대에 비로소 신앙이 재정비되고, 가족을 만나고, 아이들과 지내며 공허함 따윈 잊은 채 숨 가쁘게 살아가고 있으니 다행이지 뭔가.

 그래서 함께하는 일이 좋았구나. 삶의 모든 사건들이 이해가 되었다.

 회사에서 혼자 하는 일보다, 독서지도사로 사서로 일하면서 '공유'하는 느낌이, 채워지는 느낌이 좋았다. 글을 쓰며 더 많은 사람과 소통하고 싶은 욕구도 마찬가지구나,

'나의 외로움에서 시작된 거구나.'

 외로운 일상에 구석구석 '함께'일 수 있도록 삶을 기획해 봐야겠다. 일터도, 가정도, 어디에나 함께할 이는 있다. 먼저 다가가고 손 내밀고 따뜻해져야지. 외로운

내가 따뜻해질 수 있도록.

아마 내년에도 남편은 바쁠 것이고, 아이들은 한 해 더 성장해 있겠지. 작년까진 엄마 아빠가 주축이 되어 트리를 꾸몄지만, 올해는 아이들끼리 트리를 꾸몄듯이, 내년에는 아이들이 주도하는 성탄이 되리라.

도서관처럼 가족행사의 루틴을 만들고, 아이들과 함께 준비하고, 내일 치워버릴지언정 오늘 '함께' 기쁜 그런 성탄이 되도록, 바쁜 일정을 잘 정리하고 우리끼리의 기쁨 성탄을 준비해 보리라.

남편 너는, 알아서 끼든지 말든지!

감사합니다. 어머니, 엄마

아이 셋을 연년생으로 낳으면서 회사를 계속 다닐 수 있었던 것은 전적으로 어머님과 엄마의 도움 덕분이다. 첫 아이가 태어나면서부터 퇴사를 하고 독서지도사로 일할 때까지도 나의 형편과 사정에 맞게, 서울, 파주, 인천으로 이사를 다니는 와중에도 늘 함께 해주셨다. 어머님의 사정이 여의치 않을 때에는 엄마가 도와 주셨다.

 어머님은 회사를 다니는 주중에는 우리와 함께 계시다가 주말에는 본가로 가셨고, 독서지도사를 할 때는 수업이 꽉 찬 날에 맞게 와서 아이들의 등 하원과 가사일을 도와주셨다. 때로는 1시간 넘게 지하철을 타고, 때로는 광역버스를 타고, 때로는 지하철과 버스를 갈아타면서 변함없이 우리 곁을 지켜주셨다. 남편보다도 의지되는 사람이 어머님이었다.

 어머님의 도움이 끝나고 홀로 가사를 책임지게 되었을 때에야 비로소 식사준비라는 것이 얼마나 창의성이 필요하고 신경 쓰이는 일인지 새삼 깨달아졌다. 삼시세끼를 해결하는 것이 하루 일과 중 최대의 난제인데, 일하는 동안에는 어머님 덕분에 식사에 대해 큰 고민 없이 지낼 수 있었다.

 그래서 또 불편했던 점은 주말의 육아가 더 버겁게 느껴지기도 했다는 것이다. 주말에도 일을 하는 남편 덕에, 어머님이 댁으로 가시면 나의 독박육아가 시작되었다. 내 밥은커녕 아이들의 밥과 반찬을 하고, 놀러도 다녀야 하며, 나 홀로 아이 셋을 이끌고 교회를 드나드는 일이 외롭고 서러웠다. 가족이 함께 교회에 와서 예배를 드리고, 나들이 가는 모습이 얼마나 부러웠는지 모른다. 눈물로 하소연하던 세월이 육아의 반이다.

또 청소는 어떤가. 각 방의 기초적인 청소기를 돌리는 것 말고도, 아이들이 매일마다 가져오는 유인물이며, 만들기한 작품이며, 갖가지 것들이 눈 깜짝하면 집 여기저기에 널부러진다. 간식을 먹고 아무데나 쓰레기를 늘어놓는 아이들에게 고래고래 소리치기 일쑤고, 매일같이 벗어대는 빨래에 하루 더 입기를 호소하고, 철마다 해야 하는 옷 정리와, 구석구석 쌓이는 먼지들, 주방, 욕실까지..내 손이 닿지 않으면 그대로 까만 곰팡이나 누런 자욱들로 남아, 엄마의 살림 능력을 증명해 주었다.

이런 살림살이의 능력도 조금씩 나아지기는 했다. 사서를 하며 4시간 근무를 하게 되어 아이들 케어가 가능해지면서, 또 아버님의 치매 증세가 짙어지면서, 어머님은 더 이상 오시지 않는다. 그간의 주신 도움으로 아이들이 제법 컸고, 주말마다 주어졌던 독박 덕분에 할 줄 아는 반찬의 가짓수도 조금이나마 늘었으며, 청소력도 반쯤은 포기하고, 반쯤은 능력이 상승했기에 지금의 시절을 무난히 지나고 있다.

다 어머님의 도움 덕분이다.

자기 반성은 이제 그만!

쓴 글의 마무리가 왜 이렇게 아쉬울까. 생각해 봤더니 늘 자기반성, 과거에 대한 후회, 한 일을 되돌아보고 같은 기억을 되풀이하고 있었다.

그래서, 나아가지 못하고 있구나!

오래전 베스트셀러『미움받을 용기』는 심리학 제3의 거장 '아들러'의 이론을 철학자와 청년의 대화형식으로 이해하기 쉽게 풀어낸 책이다. 이 책에서의 청년은 스스로에게 자신이 없는 사람이었다. 출신이나 학력, 외모에 관해서도 심한 열등감을 느꼈다. 그래서인지 남의 시선을 지나치게 의식했고, 남의 행복을 진심으로 축복하지 못해 늘 자기혐오에 빠졌다. 그런 청년에게 아들러의 이론을 설명하는 철학자는 이렇게 말한다.

"자네가 불행한 것은 과거의 환경 탓이 아니네. 그렇다고 능력이 부족해서도 아니고. 자네에게는 그저 '용기'가 부족한 것뿐이야."

아들러의 이론은 자기 수용->타자신뢰->타자공헌으로 요약할 수 있다. 바꿀 수 없는 나의 부족한 부분은 수

용하되, 바꿀 수 있는 나의 현재를 가꾸어 나가는 것. 그것이 행복을 선택할 수 있는 '용기'다. 그의 이론은 과거와 미래는 보지 않는다. 단지 '지금, 여기'에 강력한 스포트라이트를 비추고, 현재에 머무르는 삶을 살게 한다.

선으로 이어지는 인생이 아닌, 자세히 들여다보면 수많은 '점'들이 이어서 완성되는 인생, 찰나의 인생을 이야기하는 것이다. 미래에 현재를 저당 잡히고, 과거에 의해 현재를 결론 내어 버리는 '붙들린 인생'이 아니라, 현재의 나 자신이 선택할 수 있는 인생, 행복할 의지만 있다면 누구든 행복할 수 있다는 '용기의 심리학'이다.

함께 글을 쓰는 지기인 친구는 오늘 자신의 딸을 보며 글을 올렸더랬다. 자신의 장점을 발표하는 학교 수업에서 어려움을 겪는 딸을 보며, 엄마인 자신을 돌아보는 글이었다고 한다. 친구도 딸과 같았다. 잘한다는 기준이 높아 좀처럼 자신의 장점에 만족하지 않는 성미였다. 그런 그녀에게 "그림 잘 그리잖아, 글 잘 쓰잖아, 참을성이 좋잖아, 잘 들어주잖아" 등의 숱한 장점을 이야기해 주곤 했으나, 그녀 역시 쉬 수긍하지 못했다. 더 잘 그리고, 잘 쓰는 사람들이 있기 때문이었다.

딸의 이야기를 들으며 어쩜 그리 똑같으냐고 웃지 못할 웃음을 지었다. 나라고 다를까. 나도 나의 단점과 부족한 점에만 자꾸 눈길이, 글 길이 닿았다.

"우리, 시선을 바꿔보자!"

"후회되고 부족한 과거들 말고, 잘 선택한 이야기들. 나를 즐겁게 했던 기억들로."

작가가 되고 싶은 이유

남편은 사람들 눈에 보이는 일을 한다. 주말도 없이 바쁘지만, 사람들이 늘 지켜보는 덕에, 피곤해 보이면 피로제를, 목이 아파 보이면 배즙을, 배고파 보이면 음식을, 옷이 추레하면 옷가지를, 필요해 보이는 갖가지를 선물해 준다. 박봉인데도 고생하는 처지를 귀하게 여겨 주시는 것이리라. 감사하다.

오늘은 자기 것을 깨끗하게 챙기는 경험을 위하여 아이들에게 실내화를 빨라고 시켰다. 물놀이하듯 아이들은 신나게 칫솔로 실내화를 비벼댔고, 막내는 힘들다며 엄마가 해달라고 했다. 막내 실내화를 빨며, 어쩐지 이 수고가 흔쾌히 기뻤다. 만 원짜리 실내화 하나 더 살까도 했지만, 내 손으로 깨끗이 하는 즐거움이랄까. 오늘 설교시간에 졸기만 했는데, 어찌 이런 은혜가!

그래, 양지가 있으면 음지는 필연적이지. 내 작은 수고로 누군가 양지로 나갈 수 있다면, 결코 작은 수고가 아니지. 회사에서도 마케팅이 있기 위해선 수많은 지원부서가 있지 않은가. 지원부서 없이는 영업을 할 수 없나니!

나는 눈에 안 보이는 집을 챙긴다. 가족이 먹을 밥을 하고 아이들을 먹이고 재우고 다시 설거지를 하고 정리하고 아이들 숙제를 챙기고 잠자리에 든다. 그리고 나는, 숨어서 글을 쓴다. 남편도 없고, 아이도 모두 잠든 때에, 나 혼자 오롯이. 혼자일 때 쓰는 게 마음이 편하고 안정된다. 가족에게 내 글을 보이는 건 왠지 더 부끄럽달까.

가족에게도 부끄럽지 않은 글을 쓰기 위해, 음지의 글이 양지로 나아가고 싶기에, 종래에는 내 가족들이 음지에서 나를 응원해주길 바라며, 작가의 꿈을 오늘도 꿔본다.

제5장 다섯 번째, 나를 위로해 준 책

인생은 성장소설처럼

<u>아픔도 '함께'라면 괜찮지.</u>
<u>: [밤의 피크닉] 온다 리쿠 소설</u>

중학교 시절 남녀공학이지만 남자, 여자 반으로 나뉘어있던 반들이 3학년이 되자, 남녀합반이 되었다. 시범학교로 정해졌다고 했다. 설렘으로 가득한 3월, 남녀합반이 되었음에도 어색한 아이들은 남자는 남자끼리, 여자는 여자끼리 2분단씩 나뉘어 쭈뼛쭈뼛 눈치만 살폈다. 보다 못한 담임선생님은 남녀 짝꿍을 지어주고, 잘 섞일 수 있도록 특단의 조치를 취했다. 괜한 걱정이었다. 그렇게 다리 놓아주지 않아도, 오래지 않아 아이들은 금세 알아서 친해졌을 거니까.

선생님의 바람대로 아이들은 금세 서로에게 왕성한 호기심을 보이며 친해졌다. 누가 누굴 좋아하더라는 당시의 가장 핫한 주제였고, 비밀 편지, 쪽지 따위를 돌려가며 누군가의 사랑을 도와주기도 하고, 잘 풀려가지 않는 사랑 얘기에는 따뜻한 위로를 주고받으며 돈독한 우정을 쌓았다. 열정 넘쳤던 선생님은 한 달에 한 번 정도의 주말에는 아이들을 모아 여행을 떠나기도 했다.

나는 한 번도 가보지 못했는데, 보내주지 않는 아빠가 그렇게 원망스러울 수가 없었다. 그래서 나처럼 아빠의 반대로 가지 못했던 친구와 열변을 토하다가, 지금까지 베스트 친구로 남게 되는 인연이 되기도 했다.

우리 아빠 같은 아빠가 또 있다는 게 신기하기만 했는데, 지금 생각해보면 내 딸이 학급의 정규 여행이 아닌, 선생님의 개별적 여행에 동참한다고 하면 선뜻 가라고는 못할 것 같다. 그 선생님을 내가 어떻게 믿으며, 아무 안전장치 없이 떠나는 남녀 합반의 여행을 어떻게 보내나.

역시, 나이가 들고 같은 상황이 되어봐야 알게 되는 것들이 있는 법이다. 어쨌거나, 인생의 첫 남녀합반의 경험은 지금도 기분 좋은 설렘으로 기억되는 한 컷으로 남아있다. 혈기왕성했던 젊은 선생님까지도.

성장소설을 읽고 싶어 집어 들었던 『밤의 피크닉』은 중학교 시절의 향수를 불현듯 끄집어냈다. 일본의 한 학교에는 독특한 행사가 있다. 학교 전체의 학생들이 하룻밤을 지새우며 걷는 '야간 보행제'

다. 1학년, 2학년 때는 도대체 이런 무지막지한 행사를 하는 이유가 뭐람, 하고 생각하지만 3학년이 되면 다시는 이 행사를 못할 것이란 생각에 그리워한다는 '야간 보행제'. 그 하루의 일정이 시간의 흐름에 따라, 각자의 주인공의 이야기에 따라 전개된다.

주축이 되는 사건은 이복남매의 이야기다. 다카코와 도오루는 이복남매인데, 아빠가 바람을 피운 상대의 딸과 하필이면 같은 반, 같은 학년인 데서 갈등이 시작된다. 그리고 아버지는 아이들의 마음에 혼란만 남긴 채 위암으로 죽었다. 결론적으로 말하자면, 본인들의 잘못은 아니기에 자식들은 화해를 하는 아름다운 결말을 맺는다.

하지만 결혼을 한 주부의 입장으로, 내 남편이 딴 여자와 짝짜꿍 맞아 아이를 낳고, 그 아이와 내 아이가 한 반이 된다? 자식의 입장으로도, 엄마의 입장으로도 참을 수 없을 것 같았다. 실제로 친한 친구의 아버지도 다른 가정을 꾸려 어린 자식이 있었지만, 친구는 아버지가 죽을 때까지 용서하지는 않은 것으로 보였으며, 그런 아빠의 혼외 자식과 친하게 지낼리는 더더구나 만무했다. 그런데 한 학년이고, 한 반이라고 해도 아무리 소설이라지만 가능할까? 아빠의 유전자를 나눠가졌다는 이유만으로 어떤 동질감이 정말로 있을까? 그들은 보행제가 끝나고 더욱더 친밀해졌을까?

용서할 수 없는 이복남매들 조차도 누그러지는 특별한 '추억'은 함께 고되고 긴 여정을 함께 걸었기 때문이리라. 지나보면 서툴러도 그 시절만이 가질 수 있는 감정과 생각들이기에 반짝반짝 빛나는 것들이 있다.

중학교 시절, 고등학교 시절, 대학교 시절, 때마다의 추억들이 넘실댄다. 시간의 한 중간에는 그때가 즐겁다고 여기지는 못했다. 어려웠던 가정 형편으로 눈물 마를 일이 없었던 학창 시절, 대입을 앞두고 어떤 길을 가야 할지 아무것도 찾지 못했는데도 가야만 하는 막막함, 대학에 들어와서는 어디든 들어가야 하는 취업 고민에 이르기까지 걱정과 고뇌는 끝이 없었다.

아빠가 보증을 잘못 서 빚을 떠안고 갚아내야 하는 순간도 있었고, 믿었던 사람들의 배신으로 온 가족이 쓰러져가는 방 두 칸에서 지내야 하는 시절을 보냈고, 그마저도 집이 없어 누군가 잠깐 비워둔 집에 살면서 이사를 전전해야 할 때도 있었고, 그 바람에 스트레스를 받은 아빠는 풍으로 쓰러지고, 엄마는 미싱을 하며 끼니를 해결하는 밑바닥의 삶 한가운데서도, 그 시절 함께 해주었던 친구들 덕에 깔깔거리며 웃는 평범한 소녀로 살아갈 수 있었다.

그러니까 말이지, 타이밍이야.
네가 빨리 훌륭한 어른이 되어 하루라도 빨리 어머니에게 효도하고 싶다, 홀로서기하고 싶다고 생각한다는 건 잘 알아. 굳이 잡음을 차단하고 얼른 계단을 다 올라가고 싶은 마음은 아프리만큼 알지만 말이야. 물론 너의 그런 점, 나는 존경하기도 해. 하지만 잡음 역시 너를 만드는 거야. 잡음은 시끄럽지만 역시 들어두어야 할 때가 있는 거야. 네게는 소음으로밖에 들리지 않겠지만, 이 잡음이 들리는 건 지금뿐이니까 나중에 테이프를 되감아 들으려고 생각했을 때는 이미 들리지 않아. 너, 언젠가 분명히 그때 들어두었더라면 좋았을 걸 하고 후회할 날이 올 거라 생각해. -155p

 십 대에 겪은 아픔과 고뇌의 시간이 없었다면, 스스로 다 큰 줄만 알았던 사춘기, 청년 시절의 치기어린 생각들이 없었다면, 지금 이 순간을 결코 감격스럽게 여기지 못했을 것이다. 편안하게, 부모님 하라는 대로, 아무 걱정 고민 없이 살면 얼마나 좋을까, 부러웠던 적도 없지 않았지만, 그 힘든 시간이 있었기에 보이지 않는 아픔들도 볼 수 있는 시야가 조금은 넓어져 있는 것이 아닐까.

아파야 청춘이라는 베스트셀러 제목처럼, 아픈만큼 성숙한다는 옛 선인들의 말처럼, 상처가 곪은 채로 두지만 않는다면, 자신의 아픔을 치유한 사람은 타인의 고통에 시선을 돌릴 수 있고, 서로가 서로를 돌보는 세상을 만들 수 있을 것이다.

<u>병과 상처는 드러내야 합니다.</u>
<u>: [유진과 유진] 이금이 장편소설</u>

이금이 장편소설 『유진과 유진』에서 유진과 유진은 동명이인이다. 큰 유진과 작은 유진으로 불리는 두 친구는 같은 상처가 있다. 유치원 시절 겪었던 원장의 성추행 사건. 큰 유진의 부모님은 이 사건으로 입었을 아이의 상처에 사랑으로, 눈물로, 칭찬으로, 온갖 방법으로 구원해 주고자 애쓴다. 반면 작은 유진네는 그 상처를 잊게 하기에 여념이 없다. 그러

기 위해 아이에게 윽박지르고, 심지어 때리기까지 하고, 그 상처가 아이 잘못인 양 아이를 다그친다.

그래서 아이들이 상처를 대하는 방식도 다르다. 부모님의 사랑을 느끼고 믿었던 큰 유진은 덤벙대고 실수해도 성큼성큼 앞으로 나아간다. 세상과 마주하면서, 우정을 쌓아가면서, 첫사랑의 실패에 눈물도 흘려가면서. 반면 작은 유진은 무엇이 잘못되었는지도 모른 채 주변을 보지 못하고, 부모님의 사랑을 알지 못하고, 앞만 보고 달려가다가 넘어지고야 마는, 넘어지고 나서야 상처를 마주하게 되는 아이다.

숱한 아픔 속에서도 성장하여 아이를 낳고 세상과 교류하며 살아갈 수 있는 것은, 부모님에게 받았던 사랑이 만족스럽지는 못해도, 받고 싶은 사랑은 아니었어도, 부모님이 주려고 했던 것이 '사랑'이었음을 느끼고 있었기 때문이다. 지금 나의 아이들에게도 주어야 할 것은 남부럽지 않은 교육보다도, 화려한 여행보다도, 엄마 아빠가 주는 따뜻하고 온전한 사랑을 충분히 느끼도록 해주는 일이겠구나 싶다. 자꾸 까먹게 되어 문제지만.

어디선가 음악 소리와 함성이 들려왔다. 그곳을 찾아 두리번거렸다. 나는 그동안 한 번도 세상을 향해 두리번거려 본 적이 없다. 정해진 길을 가는 데는 앞만 보면 되기 때문이다. 그 길이 죽어라 이자만 갚는 길인지도 모르고서. 나는 지난날의 나를 비웃었다. -172p

지금의 나는 더 넓은 선택지를 보고, 안 해본 것들에 대해서 관심을 갖고, 해보고 싶은 것들을 꿈꾸며 살아가고 있을까? 학창 시절엔 대학입시에 급급했고, 대학 땐 취업에 조바심 났고, 결혼 이후엔 육아와 내 집 마련 따위의 응당 해야 한다고 생각되는 것들에 몰두하며, 그것이 전부인 줄만 알고 지내는 좁은 나를 본다.

당연한 의무들 사이에서 울고 웃으며, 좋아하는 것들을 도전하고 실패하며 살아가긴 했지만, 큰 틀을 벗어나는 삶은 꿈꿔보지 못한 것 같다.

지금의 학생들도 성적표는 없어졌을지라도 조금도 줄어들지 않은 성적의 압박과 입시의 과정에서 어디를 봐야 할지 몰라 허둥대고 있는 아이들, 허둥대며 불안해하며 고민하면 그나마 다행이라고 해야 할까. 그마저도 모른 체 앞만 보고 바쁘게 가는 아이들은 또 얼마나 안타까운가.

청소년 시절의 문제는 그때에 쉬이 끝나지 않는다. 해결되지 않은 문제들은 성인이 되어도, 아이를 낳아도, 꼬부랑 할머니가 되어도 나를 괴롭힐지 모른다. 많은 심리 치유서가 어린 시절 상처를 찾아 꺼내어 보고, 나라도 공감해 주고, 위로해 주는 작업을 먼저 하는 것이, 상처를 햇볕에 꺼내어 말려주어야 잘 아물어 세상으로 나아갈 수 있기 때문이리라.

아픈 그대여, 상처 입은 그대여, 용기를 내어 마음을 꺼내어 보자.

가족이 힘드신가요?
[세계를 건너 너에게 갈게] 이꽃님 장편소설

무능력했고, 그 무능력을 만날 하나님께 부르짖기만 하는 아빠가 함께 사는 동안 답답했다. 능력은 없이 늘어놓는 일이 많아 늘 가족들이 뒷감당을 해줘야 했기에 딸들의 원성을 샀으나, 그러든지 말든지 아빠는 아빠의 갈 길을 갔다.

엄마는 천사인 줄 알았다. 내가 뭘 해도 다 받아주

는 천사 같은 엄마. 나이가 들고 보니 무신경한 엄마였을 뿐이었다. 참견하지 말았으면 좋았을 곳에 계속 잔소리를 했고, 빠져들지 말았으면 하는 태극기 부대 비슷한 정치색이 되어 결혼 후에 갈등을 왕왕 빚었다.

부모님의 반대에 부딪치자 일찌감치 집을 나가 결혼한 언니는 잘 살면 누가 뭐라겠냐만은, 전쟁같이 싸우고 친정으로 아이들을 데리고 피신하는 통에 바람 잘 날이 없었다. 생활비를 가져다주지 않는 형부 덕에 이십 대에 카드빚을 돌려 막기 하다가 갚을 수 없는 지경이 되고, 그 돈줄은 어이없게도 내가 되었다. 욕을 한 바가지 했지만 외면할 수 없었다.

내 귀여운 막냇동생은 나와 비슷한 행보다. 물론 나보다는 나은 삶을 살 것이지만, 결이 닮아있어 이질감이 없다. 어렸을 적엔 나의 치부를 부모님께 고자질하던 고약한 동생이었건만, 커가면서 든든한 동지가 되었다. 지금은 사랑하는 짝을 만나 결혼을 준비 중이고, 그 가운데 나는 무엇이 그리 서운한지 싫은 소리를 한 번씩 부어주는 중이다.

나의 가족들 이야기다. 왜 우리는 서로를 그저 지켜봐 주고, 독려해 주고, 이해해주지 못하고, 자신의 입장에서만 얘기하려고 하는지, 왜 가족보다 친구에게 내 고민을 털어놓는 것이 아직도 편한지, 사는 내내 원망하고 아쉬웠다. 다른 가족들처럼 서로가 힘들 때 달려와 주고, 자주 만나 울고 웃고 이해하는 끈끈한 정이 우리에겐 왜 없을까. 왜 이렇게 사는 게 팍팍할까.

넌 가족이 뭐 엄청 특별한 건 줄 알지?
가족이니까 사랑해야 하고 이해해야 한다고 믿지?
웃기지 마. 가족이니까 더 어려운 거야.
머리로 이해가 안 돼도 이해해야 하고,
네가 지금처럼 멍청한 짓을 해도 찾으러 다녀야 한다는 거야.
불만 좀 생겼다고 집부터 뛰쳐나가지 말고,
너도 엄마가 왜 그랬을까 생각하는 척이라도 해봐.
최소한 너도 노력이라는 걸 하라고. (중략)
어쨌든 내가 하고 싶은 말은,
가족이라고 해서 네가 원하는 모습대로 네 마음대로 되는 건 아니라는 뜻이야.
어쩌면 가족이란 존재는 더 많이, 더 자주 이해해야 하는 사람들일 지도 모르지. -137p

아직도 미완이지만 마흔이 되고, 내 가족이 생기고, 아이들을 키우다 보니 애쓰지 않아도 이해하는 부분이 생겼고, 이해하지 못하더라도 그저 그렇구나, 하며 넘기는 여유도 제법 생겼다. 아빠의 무능함 뒤에 있는 살가움과 애정이 보였고, 그런 아빠를 지탱해 주는 건 무심한듯한 엄마의 성품 아니면 견딜 수 없었겠구나, 이해할 수 있었다. 아이들이 커서 비로소 안정된 언니 가족은 나름대로 행복한 가정이었고, 언니가 와서 반찬도 해주고, 아이들이랑 놀아줄 때면 힘이 되었다. 동생은 고맙게도 언제나 내 편이었고.

가족들이 나름대로 얼마나 고군분투하며 살고 있는지, 내가 살아보니 그제야 깨달아졌다. 나 역시 화쟁이 엄마로, 투덜대는 아내로, 부족한 대로 애쓰며 나아가고 있으니 말이다. 가족이란 건, 참을 수 없던 것들도 인내심을 발휘하게 하는 훈련의 장인지도 모르겠다.

어쩌면 우린 너무 많은 기적을 당연하게 생각하면서 사는지도 모르겠어.
엄마가 딸을 만나고, 가족이 함께 밥을 먹고, 울고 웃는 평범한 일상이 분명 누군가한테는 기적 같은 일일

거야.

그저 우리가 눈치채지 못하고 있을 뿐이지. -217p

우리가 가족으로 만난 건 우연이 아닐지 모른다. 신이 세밀하게 나를 위해 계획하신 기적일지도.

그리운 메이 아줌마처럼 살고싶다
: [그리운 메이 아줌마] 신시아라일런트 소설

브런치의 글을 훑어보다가 눈에 들어온 글이 있었다.

'내가 바라는 나, 남들이 바라보는 나, 내가 보는 나' 가 존재하고 이 간극이 클수록 자존감은 낮다는 말. 심리학 개론 정도의 책을 읽었던 사람이라면, 한 번쯤 들어봤던 말일 텐데, 이 부분을 그냥 넘기지 못하고 글을 읽었다.

내가 보는 나와 남들이 보는 나는 어떨까? 처음에 많이 듣는 말은 성격 좋다, 편안하다, 이야기를 잘 들어준다, 웃음이 많다, 고 좀 더 친밀해지면 깊다, 예민하다는 말도 종종 듣는다.

내 일기장을 보며 내가 보는 나는, 화와 짜증이 많다, 인내심이 없다, 살림을 싫어한다, 욕심이 많다, 질투가 많다, 아이들과 잘 놀아주나 긴 시간은 힘들다, 사람들을 좋아한다, 꿈꾸길 좋아한다, 정도다.

역시, 간극이 크다. 겹치는 부분도 있지만 대체로 나는 자존감이 낮겠구나 싶다. 많이 성장했다고 생각했는데 깊숙한 어딘가는 그대로구나 싶었다. 원부모에게 들었던 말들이, 원부모가 나를 보는 시선이, 왜곡된 거울을 만든다고 했는데, 부모님의 시선은 사실 그랬다.

감정에 예민하고, 게으른 아이.

이 시선이 지금 내가 나를 보는 프레임이 되었다. 더 끔찍한 것은 내가 낳은 둘째에게도 같은 시선을 던지고 있다는 것이다. 유독 힘든 딸이라고 생각했는데, 내가 그런 딸이었나 보다. 물어보면 엄마는 제일 순한 아이였다고 했는데, 엄마가 했던 말과 내가 느끼는 시선은 달랐던 것 같다.

둘째는 나처럼 밖에서는 '혼나지 않는 귀여운 아이'로 지내는 듯했다. 둘째에게 가끔 물어보면 그렇게 대답해

주었다. 선생님한테 혼난 적이 없고, 친구들이 귀엽다고 한다고. 타인의 시선에 벌써부터 많은 신경을 쓰는 자존감 낮은 아이가 되었을까, 걱정이 되었다.

어떻게 이 시선을 바꿀 수 있을까.

꾸물대는 이유는 분명히 있으니, 생각이 끝나면 하나씩 움직여보라고 해주면 될까?

해야 할 일을 하는 것은 좋아하는 일과 다르고, 그 일을 오롯이 해나가는 것은 당연히 쉽지 않은 일이니, 천천히 하라고, 기다려주겠노라고, 말해주면 될까?

욕심이 많다는 건 해내고 싶은 일, 하고 싶은 일, 꿈이 많다는 것이니, 잘 다듬어 보라고, 응원해 주면 될까?

감정에 예민하다는 건 자신의 마음도, 타인의 마음도 들여다볼 수 있는 귀한 자산이라고 인정해 주면 될까?

내가 바라는 나는 『그리운 메이 아줌마』의 '메이 아줌마'인데, 자꾸만 나에게도 아이에게도 부정적인 시선과 모진 말로 상처 입힌다. 잘못되고 부끄러운 모습은 엄마인 나에게 말할 수 없게끔, 아이들을 몰아붙인다. 그리고 나 자신에게도.

나는 메이 아줌마처럼 좋은 사람은 보지 못했다. 오브 아저씨보다도 훨씬 좋았다. 아줌마는 오직 사랑뿐인 커다란 통 같았다. 오브 아저씨와 내가 몽상에 빠져 헤매고 다닐 때도, 아줌마는 항상 이 트레일러에서 우리가 돌아와 아늑하게 쉴 수 있도록 집을 지키고 있었다.

아줌마는 사람들의 마음을 이해했고, 누가 어떻게 행동하든 간섭하지 않았다. 아줌마는 만나는 사람 하나하나를 다 믿었고, 그 믿음은 결코 아줌마를 배신하지 않았으니까. 아마도 사람들은 아줌마가 자신들의 좋은 면만 본다는 점을 알고, 아줌마에게 그런 면만 보여 줌으로써 좋은 인상을 남기려고 했던 모양이다.

오브 아저씨도 온종일 바람개비나 만지작거리는 해군 출신의 상이군인이라는 사실을 부끄러워하지 않았고, 나도 몇 년 동안 이 집 저 집 떠돌아다닌 고아라는 사실이 부끄럽지 않았다. 아줌마는 아저씨와 나의 자랑이었다.

누가 와도 자신이 부끄러워지지 않게 해주는 존재. 스

스로 선택하고 책임질 수 있도록 자유를 주는 존재, 좋은 면만 봐주고 드러내주는 존재. 믿어주는 존재. 언젠가 천국에 갔을 때 그리워할, 메이 아줌마처럼 그런 사람이고 싶다. 내가 가야 할 이상향이다.

 사람의 행동양식은 다양하고, 더 다채로운 사고방식이 있는데, 나의 부모는 정형화된 틀로 생각하고 욱여넣었다. 일찍 일어나야 잘 산다, 바로바로 정리해야 잘 산다, 착해야 잘 산다, 베풀어야 잘 산다. 정작 본인들 앞가림도 제대로 못했으면서 자식들에게 가닿지 못할 의무만 쌓아 주었다. 엄마 자신에게도 그렇게 가혹하니, 엄마의 삶은 말해야 무엇하리.
 알면서도 엄마에게 받았던 반응 그대로 아이들에게 대물림해주고 있다. 내 의식보다도 무의식이 훨씬 더 크게 자리 잡고 있어서, 머리로 아는 것으론 습관을 고치기가 힘들었다. 그나마 우리 부모님은 우리 자식들이 잘살기 바라서 다그쳤지만, 나는 내 몸이 힘들어서 다그친다. 내 몸만 버틸 수 있다면 기다려줄 수 있을 것도 같은데 체력이 따라주질 않는다. 보고 배운 대로 자란다는 옛말이 틀린 게 하나 없다. 들어오는 자극을 습관대로 처리한다. 화내거나 울거나.

그래도 위안삼자면, 알아차리고 있다는 것. 나의 생각과 행동에 실수가 있음을 인정하고, 아이들에게 사과를 구한다는 것.

115p

한때는 왜 하느님이 너를 이제야 주셨을까 의아해하기도 했지. 왜 이렇게 다 늙어서야 너를 만났을까? 나는 집 안이 좁을 만큼 뚱뚱한 데다 당뇨병으로 고생하고 있고, 아저씨는 해골처럼 삐쩍 마르고 관절염까지 앓고 있으니 말이야. (중략)

하느님은 우리 마음이 더욱 간절해지길 기다리신 거야. 아저씨와 내가 젊고 튼튼했으면 넌 아마도 네가 우리한테 얼마나 필요한 아이인지 깨닫지 못했을 테지. 넌 우리가 너 없이도 잘 살 수 있을 거라고 생각했겠지.

그래서 하느님은 우리가 늙어서 너한테 많이 의지하고, 그런 우리를 보면서 너도 마음 편하게 우리한테 의지할 수 있게 해 주신 거야. 우리는 모두 가족이 절실하게 필요한 사람들이었어. 그래서 우리는 서로를 꼭 붙잡고 하나가 되었지. 그렇게 단순한 거였단다.

모든 일에는 때가 있는데, 기독교식으로 얘기하자면 '하나님의 섭리'다. '예비하심'이다. 내가 어느 곳에서 기쁘고 달란트를 발휘할 수 있는지 알아보게 해 주시는 때, 내 치부를 딛고 일어나 '사랑받는 존재'로 나아가 '사랑하는 존재'로 나아가게 해 주시는 때, 그 적절한 타이밍이 반드시 있음을 믿는다.

서툴지만,
바라봐 줄게.
기다려 줄게.
응원해 줄게.
어떤 모습이라도 사랑할게.
있는 모습 그대로.

주문처럼 외워볼게.
새로운 습관이 될 때까지.

소속이 인간의 삶을 바꿀까?
: [삼미 슈퍼스타의 마지막 팬클럽] 박민규 소설

 복직을 하고, 고객상담팀에서 1년 넘게 일하면서 두

번의 사내공모와 낙방을 맛보고, 복직 전에도 갈구했던 사내공모 혹은 이직에 대해 생각해 봤다. 나는 그 일이 어떻든, 무얼 하든, 내 적성과는 상관없이 일반직을 원했고, 그것이 아니라면 공무원 준비를 해야겠다며 열을 올린 적도 있었다. 왜 그렇게 내 자리에 만족할 수 없었을까. 여기만 바라보고 이거다 싶어 들어온 회사인데. 『삼미 슈퍼스타의 마지막 팬클럽』을 보며 깨달았다. 그건 바로 제대로 된 '소속감'을 원했던 거였다.

책의 소개글을 쓴다는 전문 분야의 일을 하는 줄 알았던 '전문직'군의 일은, 이 분야의 일만 할 수 있기에 승진도, 급여도 '일반직'과 달랐다. 본사의 어떤 직무도 가능하다는 일반직은 회사의 '주류'였고, 한 가지 일만 할 수 있는 전문직은 '비주류'였건 거다. 그것이, 회사를 다니는 내내 신분차이를 느끼고, 불만족스러운 원인이었다. 나는 '주류'가 되고 싶었다.

야구의 '야'자도 관심 없는 나는 결혼하기 전, 시아버지 생신에 댁을 방문했을 때부터 '기아'의 경기를 섭렵해야 했다. 물론 그냥 '보기만'했을 뿐, 당최 아는 게 아직까지도 없는 야구 무지랭이다. 남편이 틈만 나면 야구경기를 키는 4월이 두려울 뿐, 재미를 발견하지 못

했다. 기아는 매년 봐도 비슷한 성적인거 같은데, 당최 무슨 재미로 보는 건지. 그런 내가 야구를 주제로 삼은 소설책을 집어 들었다.

프로야구가 등장하는 동시에 인천에도 '삼미 슈퍼스타'라는 전설적인 구단이 생기며, 열두 살 소년 야구팬의 마음에 불을 지피운다. 부푼 가슴을 안고 응원했다가, 유사이례의 연이은 꼴지의 성적으로 '삼미'의 팬이라는 이유로 부끄러웠다가, 다시금 전설적 플레이로 프로야구의 준우승을 차지하는 짜릿함도 맛보았다가, 다시금 꼴지의 자리로 돌아오는, 그리고 다시는 그 어떤 역전 드라마도 없는 '삼미'를 통해 소년이 청년으로, 그리고 중년으로 성장해가는 이야기였다.

야구가 이렇게 대단한 스포츠였나 싶은 게, 타율이며 몇 할 몇 푼 몇 리의 기록을 줄줄줄 읊어대는 소설에, 한 소리도 못 알아들어 대충 스킵하기도 하면서 읽어 내렸다. 이건 기사 아닌가 싶기도 하고, 이런 신문 기사들 모아 옮겨 놓은 것도 소설이 되는가 싶은가 하는 차에, 중간 부분으로 오니, 아 이건 야구 이야기가 아니구나, 꼴지 구단 '삼미'를 통해 나 같은 '비주류'의 모든 이들에게 전하는 메시지구나, 하며 밑줄을 긋기 시작했다.

'가끔 홈런도 치고, 삼진도 잡을 만큼 잡았던' 평범한 야구를 했던 삼미 슈퍼스타즈. 승리가 없었을 뿐, 평범한 야구였을 뿐인데, 승리가 없다는 것은 선수들이, 팬들이 실패감에 젖기에 충분했다. 내 인생도 '삼미'같았다. 그걸 인정하는 것이 참 어려웠다. 뭐라도 될 줄 알았고, 뭐라도 되고 싶었지만, 되고 싶은 무엇에서는 항상 모자랐다. '항상' 모자란 것이 아니라, 그럴 때도 아니었을 때도 있었는데도 불구하고, 눈에 띨만한 성과가 없었기에 승리 없는 인생인 것만 같아 한숨지었다.

그래서 그 삼미들은 어떻게 되는걸까.

소년은 소속이 삶을 바꾼다는 것을 '삼미'를 통해 깨달으며, 인류대에서 대기업으로, 세상이 말하는 '프로'가 되기 위해 '하라는 대로' 열심히 수행해간다. 90년대의 '열심'이라는 것은 가족도 생활도 다 버린 채 일, 일, 일에 목숨 거는 때였고, IMF로 인한 구조조정으로 일도 가정도 모두 잃은 주인공은 처절한 패배를 맛본다. 이게 결국 삼미들의 최후인가.

"자신만의 야구를 하라"

아! '삼미'는 비주류에 대한 이야기도 아니었다. '삼미'
는 패배자의 표본이 아니고, 평범하고 비루한 자의 표
본이 아닌, 과열된 경쟁 속에서, 소위 말하는 '프로'의
세계에서도 위축되지 않고, 자신만의 야구를 펼쳐 나가
는 '그들만의 신앙'이었던 거다.

"그 '자신의 야구'가 뭔데?"
그건 '치기 힘든 공은 치지 않고, 잡기 힘든 공은 잡지
않는다'야. 그것이 바로 삼미가 완성한 '자신의 야구'
지. 우승을 목표로 한 다른 팀들로선 절대 완성할 수
없는—끊임없고 부단한 '야구를 통한 자기 수양'의 결
과야.

"뭐야, 너무 쉽잖아?"

틀렸어! 그건 그래서 가장 힘든 '야구'야. 이 '프로의
세계'에서 가장 하기 힘든 '야구'인 것이지. 왜? 이 세
계는 언제나 선수들을 유혹하고 있기 때문이야.

–삼미 슈퍼스타즈의 마지막 팬클럽 중에서

아~~~

이렇게 적확한 시기에 이 책을 읽게 되다니!

　아직 콜센터에서 일하는 것조차 부끄러워 말하지 못하는 나. 단축근무의 원활한 사용을 위해 내가 선택했던 자리이건만, 일의 어려움도 어려움이지만, 사회적 인식이 낮은 탓에, 더 자리를 옮기고 싶었던 나, 어떤 '자기만의 야구'도 없이 프로의 세계로 진입하고 싶었던 나였기에, 이 책은 구원과도 같았다. 자기만의 야구를 한다는 것은, 프로를 추구하는 세계에서는 정말 하기 힘든 일이었던 것이다.

　학교에서는 성적으로, 회사에서는 학벌이나 승진이나 처우 따위로, 육아에서는 남들보다 뒤쳐지지 않는 아이로 키우기 위해 필요 이상으로 힘을 쓰고 사는 우리. 부동산에 밝아 시세차익을 크게 낼 수 있는 집을 사고, 주린이라도 되어 투자공부에 열을 올리고, 자기계발과 몸매 가꾸기 등의 자기관리를 철저하게 사는 것이, 똑똑한 삶을 사는 것일까.

　가정이 있고 서울 한복판에 살면서, 힘든 공은 안 치고, 잡기 어려운 공은 안 잡는 '삼미의 야구'는 이상적이기만 한 이야기인 지도 모르겠다. 전셋값은

천정부지로 치솟고, 아이들 기본적인 교육만 하는데도 월급이 모자랄 판이며, 가족의 사건사고에 조금이라도 보탬이 되려면, 힘들어도 칠 수 있다면 쳐야 하는 게 맞는 것이다.

그러나 과열될 필요야 없겠지. 힘에 부치면 쉬었다 가면 되고, 나를 원치 않는다면 안 가면 그만이다. 소속이 어디든, 하고 싶은 걸 해 보고, 칠 수 있는 공이라면 기꺼이 치면서, 위축되지 않는 것! 이게 오늘 내 삶에 각인해야 할 메시지다.

그리고 보니 오늘은 승진 대상자이나 매니저만이 다음 직급으로 승진할 수 있다고, 인바운드 아닌 지원 쪽 일도 해보라는 권유를 받으며 팀장님과 면담을 했다. 티오가 나면 알려주십사 부탁드렸고, 집에 와서 나는 나와 비슷한 직급들을 훑었고, 매니저의 공석을 확인했고, 할 수 있다면 해봐야지 했다. 그리고 아이들이 크고, 남편이 자리를 잡으면, 하고 싶은 공부도 해봐야지.

p.s 지금은 퇴사하여 정말로 나만의 페이스를 유지할 수 있게 되었다. 프리랜서 같은 계약직 강사를 전전하다 보니, 소속이 있을 때, 소속이 클수록 오히려 나의 페이스가 뭔지도 모르고 무작정 달리게 되는구나 싶었

다. 갈 수 없는 길은 나의 길이 아니었을지도 모른다.
잘 퇴사했다!

인생은 누군가의 데뷔작처럼

우리가 줏대가 없지, 철학이 없겠니!
[우리가 돈이 없지, 안목이 없냐?/ 아무개 에세이

 이 책의 리뷰를 쓰려면 왠지, 나도 반말로 해야 할 것
같아.
40대 중후반으로 보이는 아무개 저자의 조언에 답하기
엔, 나도 적잖이 먹은듯해서. 나만 딱딱하고 건조한 문
어체로 얘기하기도 뭣하고. 알고 보면 나도 40대거든.
처음엔 굉장한 어른인가 보다 하고 읽었는데,
계속 읽다 보니 내 나이보다 약간 많은 것 같더라고.
나도 어엿한 어른이었던 건가?
마음은 아직 삼십 초반인데,
이젠 누가 봐도 어른인 때인 건가,
이 책을 보며 자각하기도 했지.

어쨌거나 잘 읽혀. 리드미컬한 글도 좋고,
은근한 풍자와 개그도 맘에 쏙 들고,
나와 별반 다르지 않은 일상들, 생각들을 이렇게 잘 전
달할 수 있구나 싶어.

*안목이 있니, 없니 함부로 말하지 마시게. 다시 말하지
만 나는 안목이 없는 게 아니라 돈이 없는 것일 뿐이
네. 돈 없는 것도 서러운데 안목까지 의심받으니 얼마
나 서러운지, 원. -19p*

*나, 젊은 그대에게 한마디 함세. (이정도의 말은 해도
괜찮은 나이가 된 듯해서.) '돈 없음'이 '불편'하다고
느낄지언정 '불행'하다고 생각진 말게나. 부자와 빈자
로 나누는 건 자본주의의 논리라네. 더 많이 가진 자,
덜 가진 자라고 '돈'을 준거로 자신을 판단하고 몰아세
우고 그로 인해 그대의 소중한 삶이 송두리째 무가치
해지도록 맥없이 내버려두진 마시게. 그깟 돈이 뭐라
고. -43p*

일상을 수집하고, 나열하고, 잘 짜인 글로 보여주니,
꽤나 멋져 보여.
나도 아무개같은 생각 참 많이 했던 거 같은데,

215

내가 쓰면 이런 맛이 안 나더라고.

아마도 아무개 저자보다는 내공도 부족하고, 자기 철학
도 없이 나이만 먹어 버린 거겠지.

나라고 자기 철학이 없기야 하겠나!

세상과 적당히 타협하는 게 편한 삶이란 걸 알아버려
서인걸 어쩌겠나. 좋은 게 좋은 거라고 비비며 살아왔
지 뭔가. 어디서나 평화를 유지하고 싶었었지. 내 안의
참된 평화는 팽개쳐 버린 채 말이지. 이 핑계 저 핑계
로 살아지는 대로 살고 있는데, 저자는 결국 나이가 어
떻든 모험을 해보라네. 본인도 그러는 중이라고 말이
야.

이것저것 해보고 싶어 하는 내게 남편은 항상 나무랐
지.

도대체 왜 결혼하고 나서야 자꾸 뭘 해보고 싶어 하냐
고. 이젠 안정된 커리어로 지내야 하는 때라고. 모험은
20대 때나 하는 거라고. 남편의 조언과 더불어, 아이
셋을 나면서는 그러고 싶어도 그럴 수 없었지. 회사서
도 받아 주는 부서도 없어, 콜센터만이 날 반겨주었지.
가고 싶어도 갈 데도 없고, 공부하고 싶어도 시간도 돈
도 없고. 내가 할 수 있는 건 책 읽고 글 쓰는 게 유일

하더라고.

 그래서 부지런히 글을 쓰는 중인데,
쓰다 보면 뭐라도 되려나?

회사를 갈 수 없게 된
: [회사원 서소 씨의 일일] 서소 산문집

 광고에 약한 나. 도서몰 검색창에 옅은 회색으로 '회
사를 갈 수 없게 된'이라는 글자를 그냥 지나치지 못
하고 돋보기를 누르고야 말았다. 원래 검색하려던 책은
일단 제쳐두고. 도대체 무슨 얘길까? 이 회사원은 어떤
사연이 있을까? 나처럼 회사원으로 사는 아줌마 얘긴
가?

 온라인으로 책을 고를 때는 일단 먼저 책 속으로의
문장들을 읽어본다. 오, 맘에 드는데? 싶을 때는 목차
와 구매평을 꼼꼼히 살핀다. 혹시 읽어보니 별거 없
더라, 는 평일 수도 있으니까.
 오, 평도 좋네? 싶으면 미리보기를 눌러 맛을 본다.
합격! 이때부터는 이북으로 살까, 종이책으로 살까
고민이 시작된다. 책이 짐이 되고부터는 종이책보다

는 이북 소장을 추구하는 편인데, 이북으로 안 나온 책들도 많고, 이북이라고 종이책보다 더 싼 것도 아니라(서점 직원이라 책은 좀 싸게 살 수 있다) 잠시 저울질을 해본다. 소장할 만한 가치가 있을까? 한 번 보고 마는 책 아닐까? 좋은 책도 두 번 본적은 별로 없는 나의 성향으로 보아 종이책은 책장에 고이 모셔둘 게 뻔하다.

그런데도 이 책은 종이책으로 구매했다. 일단은 엄마의 '문화누리카드'를 소진해야 했기 때문이고, 둘째는 누군가의 첫 작품은 종이책으로 구매하고 싶은 마음이었다. 얼마나 공들이고 설레며 썼겠는가.

최근 일반인들이 내는 첫 작품을 곧잘 구매했다. 브런치 데뷔작들이 그러고 보니 많았던 것 같다. 『90년생이 온다』 『직장 내공』 『엄마의 독서』 『우리가 돈이 없지, 안목이 없냐?』 등의 책들을 읽었는데, 생각해 보니 정여울 작가도 베스트셀러가 되기 전 『시네필 다이어리』의 데뷔작을 점찍어 두기도 했었다.

다시 생각해 보니 나의 원래 일이 누군가의 '새로 쓴 글'을 리뷰하는 것이지 않았는가! 매력 있는 새 책을 찾는 게 일이었는데, 그 일을 하지 않아도 좋은 데뷔작을 보면 지금도 내 일같이 설렌다.

 이번 책은 무엇보다 에세이의 전형적인 형식이 아니라, 소설 같은 이야기 형식이 신선했다. 에세이가 이렇게 흥미진진하다고? 에세이에 대한 틀에 박힌 편견을 와르르 무너뜨리고, 아, 역시 난 아직 멀었어, 라는 자괴감도 들게 하는 그런 책이었는데, 여성이 화자인 에세이를 주로 보다가 비슷한 또래이자 남성의 내밀한 일기장을 훔쳐보는 기분이란! 남편 말고 내가 어떤 남자의 일상을 알 수 있겠는가! 특히나 혼자 사는 남자의 일상 같은 건 내가 알바인가 싶었는데, 오 이건 한 장 펼치자마자 푹푹 빠져든다.

 특히 에피소드로 등장하는 '시버러버'가 궁금해 죽겠어서, 에피소드만 따로 먼저 읽기까지 했다. 아니 이런 에피소드가 다 있나? 리뷰에서 다 읽고 보니 소설이었다며 깜짝 놀랐다던 독자가 있었는데, 에세이로 알고 봤던 나도 읽으면서 의심했다. 이게 실화야?

 이 사람, 소설가가 돼야겠구먼!

 아이들이 드디어 격리 해제가 되고 대공원에서 신이

나게 논 뒤, 죄책감 없이 이제 엄마도 책 좀 보마, 하는 심정으로 첫째 둘째가 좋아하는 '탁주쪼꼬'와 핸드폰 게임을 각각 쥐어주고 독서의 세계로 빠져들고 싶었으나, 나는 아이가 셋이었고, 막내는 아직 엄마를 찾을 일이 많았다.

주말 근무를 마치고 온 남편도 논문을 위한 독서 중이었으므로, 취미로 하는 독서를 하는 내가 뒤치 다꺼리를 해야 했다. 얼른 완독을 하고픈 마음과는 달리, 집안일은 끝이 나질 않아 독서는 중도 포기하고, 아이들과 지지고 볶다 잠이 들었다.

윙-윙-

모기다! 며칠째 방에 모기가 들어와 밤마다 물어 대는데, 오밤중에 불을 환하게 켜놔도 잡지 못하기를 여러 날이었다. 새벽 한 시, 부스스 일어나 읽다만 책을 집어 들었다. 핸드폰 손전등을 켜고 남은 독서를 하며, 다시 소리가 나면 오늘은 기필코 잡아주겠다는 일념이었다.

다시 윙-

안 되겠다, 형광등 불을 딸칵, 켰다. 환한 불에 막내가 뒤척였다. 다시 책을 읽으며 모기가 눈앞에 보이기만을 기다렸다.

한 놈 날아갔다.
잡았다.
에잇, 수컷인가. 피 먹은 놈이 아닌데.

다시 기다렸다.
책은 다 읽었다.
퉁퉁한 놈이 막내의 얼굴 쪽으로 날아간다.
요놈! 잡았다!

망원동에서 초등 시절을 보냈다. 아빠가 지금의 내 나이보다 조금 넘어 그곳에 교회를 개척했다. 지금은 힙한 동네가 되었다는 망원동은, 나의 유년시절이 있던 동네다. 골목골목을 휘저으며 아이들과 고무줄을 하고, 도둑잡기 게임을 하며 밤늦도록 놀았던 그 동네. 한강 고수부지로 나가 친구들과 롤러스케이트 경주를 신나게 했던, 여름이면 수영장으로 바뀌어 살이 새까맣게 타도록 물놀이를 했던 그 시절이 생각났다.

물난리도 많이 나고, 난지도 소각장도 있던, 그리 잘사는 동네는 아니었던 망원동이 그렇게 잘 나간다고 하니 감회가 새로웠다. 유명해진 뒤로는 가본 적이 없어 실감은 못하지만, 사람들이 부러 찾는 좋은 동네가 되었다니 한 번 놀러 가봐야 하나.

선택이 쌓여 인생이 되었다.

평범한 선택지를 골랐으나 평범하지 않았다던 작가의 삶이 결국은 글을 써야만 하는 길로 가려고 그랬나 보구나, 싶었다. 어떤 선택을 하더라도, 이 땅에 살면서 크든 작든 내 몫으로 던져진 무언가는 해야 하는 운명같은 게 있다고 생각한다. 겉핥기식 인생은 만족감이 없다. 뭘 해도 뭔가를 더 해야 할 것 같은 공허함이 따라온다.

마흔이 별건가 싶었다. 삼십 초에서 생각했던 일들을 별로 이루지도 못했고, 결혼과 육아로 정신없이 달려왔기에 정신적으로는 그 때와 달라진 게 없었다. 이 책을 읽으니, 아 그런데, 진짜 하고 싶은 일을 이제는 하고 싶다, 라는 마음. 누구나 하는 평범한 선택들 따라 다 해봤으니, 이제는 누구 눈치도 보지 말고 내 삶을 살고 싶다는 마음, 이것이 마흔이라는 생각이 든다.

홀몸은 아닌지라 누구의 눈치도 보지 않는 선택은

어렵겠지만 나의 '찐인생'은 어떻게 채워야 할까, 생각하는데, 일찍 잠들었던 둘째가 잠이 깨 울면서 건넌방 문을 여는 소리가 들린다.

 자는 척을 해야겠다. 얼른.

<u>엄마라는 동질감</u>
<u>: [엄마의 독서] 정아은 독서일기</u>

 사람들이 책을 살 때에는 깊은 사유의 장으로 이끄는 책을 고른다든지, 사람들이 다들 읽어 본 베스트셀러를 고른다든지, 표현력이 좋은 소설을 고른다든지, 나름의 이유가 있다. 내가 사온 책들을 보고 있자니, 대화하고 싶은 작가의 책을 골랐구나. 나와 비슷한 생각을 가지고 있고, 표현하고, 고민하는 작가의 글을 읽고 싶었구나, 하는 생각이 들었다. 정아은의 『엄마의 독서』가 그랬다. 포털 사이트에 연재되었던 글을 보다가, '어머 이건 내 마음이야!'하며 주문한 책이었다.

 당시 나는 연년생 남매와 뱃속의 막내까지 돌보고 있

던, 가장 힘들었던 육아시절을 보내고 있을 때였다. 남편에 대한 불만도 하늘을 찌르고 있었고, 나 자신을 통제하지 못하는 죄책감도 하루하루 더해질 때였다. 나를 만난 아이들과 남편이 불쌍했고, 내 자신이 한없이 초라하던 때였다.

화장기 없는 얼굴, 몇 년간 미용실도 가지 않은 머리, 덕지덕지 붙은 살덩이까지, 그렇다고 살림을 척척 잘해내는 것도 아니고 일을 너무 잘해서 불러주는 회사가 있는 것도 아닌, 존재감 없는 나 자신이 한탄스러울 때였다.

그럴 때 이 책을 만났다. 친구들과의 수다에도 위로가 되지만, 작가가 풀어내는 글을 보고 있는데 '너만 그런 게 아니야.'라는 메시지를 받는다면 그만한 위안이 또 없는 것이다.

저자는 육아로 인해 무거워진 삶을 독서로 이겨냈다. 고민되는 부분은 책에서 답을 찾고, 내 자리에서 적용하고, 다시 힘을 내어 살아보는 것이었다. 독서는 그래야 하는 것이 아닐까! 아무리 좋은 책을 읽은 들 내 삶과 상관이 없다면 무슨 의미가 있을까.

그런 점에서 저자의 글과 생각은 지금의 나와 꼭 같았다. 몇 년이 지나 다시 보는 지금에도 어쩜 나와 이렇게 비슷한 고민과 생활을 겪고 있는 것인지 신기하기만 했다. 저자는 자녀들에게 공부나 독서를 가르치는 것을 최우선으로 생각하던 삶에서, 삶을 살림을 함께 나누는 것으로 방향을 바꾸었다. 이 모든 것을 책으로 배웠고 실천했다.

나도 이 책을 보고 이전부터 아이들과 쓰레기 분리수거하러 함께 나가기, 신발 정리하기, 빨래 개기, 자신의 옷 가져다 놓기 등을 어려서부터 함께 하고 있다. 물론, 매번 잘 되는 것은 아니지만 되도록 자신의 몫을 해내게 하려고 노력 중이다.

어렸을 적 집안의 살림은 당연이 부모님의 몫이었고, 남편도 세탁기 한 번 제대로 돌린 적 없이 지냈다. 결혼하고 끊이지 않는 집안의 모든 일들을 감당하려니 숨이 턱 끝까지 차올라 헉헉댔다. 버거웠다. 남편에게는 집안일이라는 게 못해도 그만인 일이지만, 나에겐 해내야만 하는 과업이었다. 일을 하러 직장에 나가도 엄마의 살림은 아빠처럼 줄지 않았다.

그 때 처음으로 부모님의 숨은 노고를 알았고, 관심을 갖지도 않았을 뿐더러 함께 하지는 더더욱 않았던 젊은 시절을 후회했다. 그 젊은 시절엔 공부가, 취업이, 바깥에서 이루어지는 일들이 중요하고 대단했을 뿐이었다.

지금에서야 보이지 않는 일들이 얼마나 중요한 지, 보이지 않는 일들이 잘 이루어질 때 밖에서 보이는 일이 빛을 발한다는 것을 안다. 그래서 작은 일에 성실하게 최선을 다하는 사람이 그렇게 멋지고 예쁘고 대단해 보일 수가 없다.

우리 아이들도 그렇게 키워내고 싶다는 것이 나의 작은 목표가 되었다. 이 책 덕분에.

글쓰기 데뷔를 하고 싶어서
: [심심과 열심] 김신회 에세이

글쓰기, 책쓰기에 관한 책을 많이 사보았다. 아이들을 가르치는 일을 하기도 했고, 글쓰기에 관심도 많아서 관련된 책은 저절로 눈이 가고 손이 갔다. 김신회의 『심심과 열심』은 콜센터에서 일하던 때에 신간으로 나왔던 책인데, 어떤 문구에 이끌려 책을 샀는지는 모르겠다. 한여름 밤 아이들을 재워놓고 작은 방에 홀로 앉아 한달음에 책을 읽어 내려갔던 기억이 난다. 1년에 한 번씩 책을 낸다는 성실한 작가의 이야기를 롤모델로 삼고 싶었다. 작가의 '열심'이 좋아서 『아무튼, 여름』도 추가 구매하고, 인스타도 팔로우하며 작가의 삶을 엿보고 있다.

저자는 글쓰기로 먹고살든 그렇지 않든 글쓰기라는 건 즐거워야 한다고 했다. 그래야 지치지 않고 계속 쓸 수 있다고. 아! 그래서 미천한 글 솜씨인 걸 알고 있음에도 지금까지 글을 쓰려고 하는구나. 재미있어서, 즐거워서, 후련해서, 생각과 마음이 정리가 돼서!

회사에서부터 만나 10년이 넘은 지금까지 책과 글과 육아에 대한 이야기로 채워온 동료이자 친구가 있다. 좋은 책을 만나면 서로 추천해 주기 바쁘고, 심심치 않게 독서모임을 열었다 접었다 하며, 그래도 글을 쓰자며 서로의 글쓰기를 부추기고 응원한다. 서로가 유일한 독자일지라도, 우리는 뭐가 그렇게 즐거운지, 글쓰기를 멈추지 않고 계속하고 있다. 아마도 그것이 저자가 말하는 '부담감이 없어 즐거운' 글쓰기였기 때문이리라.

생각해보면 회사에서 업으로 할 때의 글쓰기는 지겹기도 했다. 똑같은 틀에, 똑같은 어투에, 중도를 지켜야만 하는 말들만 써야했기 때문에, 내 생각과 삶을 쓰는 진짜 글은 없었다. 육아로 휴직을 하지 않았더라도, 그

일을 얼마나 할 수 있었을지는 모를 일이라는 생각이 들었다. 나는 나의 글을 쓰고 싶었으니까.

어쨌거나 일을 하든 그만 두든, 책을 떠나지 못했다. 배운 것이 그것뿐이라서, 할 수 있는 게 그것뿐이라서, 관련 계통의 일로 전전하며 계속해서 글을 썼다. 그리고 마침내 이렇게 하나의 책으로 엮게 되었다.

지금 내는 이 책이 발판이 되어 혹시라도 정식 작가로의 길이 열린다면, 얼마나 솔직하게 내 생각을 표현할 수 있을지 미리 걱정도 해 본다. 지금은 내 글에 관심 가질 사람이 얼마나 있겠나, 하는 마음으로 편안하게 글을 쓰고 있으니 말이다.

그래서인지 아직은 즐겁기만 하다. 지금 글을 쓰고 있는 이 순간이.

에필로그
: 때마침을 따라왔더니

책 한 권이 되는 분량의 원고를 처음으로 채워보았다. 브런치나 블로그 따위에 A4 1~2장짜리 짧은 글은 써봤어도, 책 하나의 분량을 가득 메워 보기는 처음이다.

서울 토박이로 살다가 인천에 불시착했는데, 놀랍게도 이곳에서는 '읽.걷.쓰' 사업이 시작되고 있었고, 학교 도서관의 1인 사서 배치가 의무화 되어 일자리가 많아졌다.

때마침 책을 쓰고 싶어 하는 초보자들을 위한 다양한 프로그램들이 기다리고 있었다. 마치 나를 위해 기다렸던 것처럼, 인천으로 이사 온 후 마음속으로 고대했던 일들이 차곡차곡 이루어지고 있었다.

그 기회를 힘입어 도서관에서 일을 시작했고, 책쓰기 강좌를 쫓아다녔고, 드디어 누가 볼지 모르는 미숙한 책 하나를 완성하기에 이르렀다.

책을 내 본 작가 친구가 그랬다. 내 글을 책으로 엮어 본다는 것은 충분히 의미 있는 일이다, 그래야 다음으로 나아갈 수 있다, 책을 하나 내보면 다른 것들이

보일 것이다, 등의 진심 어린 조언은 책을 낸다 한
들 나 혼자 볼 책이 무슨 의미가 있나 싶어 고심하
고 있는 나를 흔들리지 않게 지지해 주었다.

어떤 책이든지 간에 내보기로 결심을 하고 시작된 수
정작업은 할수록 난관이었다. 감정에 휩쓸려 써내려갔
던 내 글은 돌아보니 볼품없기 짝이 없었고, 고칠 것
투성이었고, 인용한 곳이 너무 많아 어디서부터 손
을 대야 할지 막막했다.

그럼에도 모든 상황들이 책을 낼 수 있도록 도와준
것 같아 감사하다. 때마침 인천으로 이사를 왔고, 때마
침 책을 내는 기회들이 많아졌고, 때마침 편집일을 하
는 친구와 연락이 닿았고, 때마침이 계속 맞물려 책을
내는 데에 끝까지 완주할 수 있었다.

그것만으로 기쁘다. 그것으로 되었다.